Your Malvern Guide for GCSE

Italian Speaking Test

Rossana McKeane

in association with

Val Levick

Glenise Radford

Alasdair McKeane

Contents

Contents

Introduction

This is a book which aims to help you with your GCSE Italian Speaking Test. The test will probably be conducted by your own teacher and will be tape-recorded. You will have to complete a number of role-plays and a conversation test. Nearly all candidates are also required to give a presentation on a chosen topic and then discuss it. Check the exact details of your specification with your teacher. Knowing what to expect is half the battle.

This book is in four sections.

In the **Role Play** section you will find the Italian phrases you may need to use or understand in each situation. They are given in the *Lei* and *tu* form in most cases.

In the **Conversation** section your will find straightforward questions and possible answers for most topics, again with *Lei, tu and voi* forms as appropriate. Check with your teacher which he or she is most likely to use in the Speaking Test. There are also more open-ended questions requiring longer answers, and questions where you are asked to give and justify your opinion.

The **Presentations** section has some suggestions for topics which you may wish to prepare. The usual format for the exams which include this test is that you talk for about a minute or a minute and a half introducing the theme, and then discuss it with your teacher for another couple of minutes. It is also possible to use some of the topics from the Conversation section for this exercise.

The **Improving your language** section is aimed at making what you say more interesting. Phrases which extend the variety and range of structures and vocabulary in your Italian are included. This section will be of most use to Higher Level candidates.

This book is intended to help you do well. Merely owning it will not help you! Reading, learning and practising its contents will.

In bocca al lupo!

SECTION 1: ROLE PLAY

All-purpose phrases

These phrases or part-phrases are essential. They could appear in many of the role play situations. Remember to learn how to ask questions as well as how to answer them.

Social remarks

Good morning	Buon giorno
Good afternoon	Buona sera
Good evening	Buona sera
Hello	Ciao
How are you?	Come sta/stai?
Please	Per favore
Thank you	Grazie
Not at all	Prego
You are very kind	È/Sei molto gentile
Excuse me	Scusi/Scusa
I would like.	Vorrei
May I ...?	Posso ...?
Please come in	Avanti!
Sit down	Si accomodi/ Accomodati
I'm sorry, but ...	Mi dispiace, ma ...
Don't mention it!	Prego
Good-bye	Arrivederci
See you soon	A presto
See you tomorrow	A domani

Best wishes

Best wishes!	Auguri!
Good Luck!	In bocca al lupo!
Happy Birthday!	Buon compleanno!
Happy Christmas!	Buon Natale!
Happy Easter!	Buona Pasqua!
Happy New Year!	Buon Anno!
Have a nice day!	Buona giornata!

Questions

Why?	Perché?
When?	Quando?
Where?	Dove?
What?	Che cosa?
What?	Cosa?
Who?	Chi?
How much?	Quanto/a?
How many?	Quanti/e?
How?	Come?
What is ... like?	Com'è ...?
What are ... like?	Come sono ...?
Is there/Are there ...?	C'è/Ci sono ...?

Agreeing and sympathising

Yes, of course	Sì, naturalmente
Agreed	D'accordo
What a shame!	Che peccato!
I don't mind	Per me è lo stesso
I suppose so	Suppongo di sì
I suppose so	Credo di sì
With pleasure	Con piacere
Yes, I'd like to	Sì, mi piacerebbe
Good idea!	Buona idea!
Too bad	Peccato
Really?	Davvero?
That's nice!	Che bello!
OK	OK, d'accordo
Agreed	Siamo intesi
Congratulations!	Congratulazioni! Felicitazioni!

Apologising

I'm sorry	Mi dispiace
I'm sorry	Scusi/Scusa
No harm done	Non è successo niente
It doesn't matter	Non importa
Don't mention it	Prego
Don't worry	Non si preoccupi/Non ti preoccupare
Let's forget it	Mettiamoci una pietra sopra
I'm sorry, but it can't be helped	Mi dispiace, ma è inevitabile
I didn't do it on purpose	Non l'ho fatto apposta

1

Opinions

What is your opinion?	Cosa ne pensa/pensi?
I like	Mi piace
I don't like	Non mi piace
I love	Amo
I hate	Detesto
I can't stand	Non sopporto
I prefer	Preferisco
I'm crazy about	Vado matto/a per

I share your opinion	Condivido la Sua/tua opinione
I quite agree	Sono proprio d'accordo
I don't agree	Non sono d'accordo
You are right	Ha/Hai ragione
You are wrong	Ha/Hai torto

I think that …	Penso che …
I think so	Credo di sì
I don't think so	Non credo

I must admit that …	Devo ammettere che …
I don't know (how to/a fact)	Non so
I don't know	Non conosco
It's possible	È possibile
That depends	Dipende
They say that …	Dicono che …
perhaps	forse
on the contrary	al contrario
I blame …	La colpa è di …

Justifications

I like it — Mi piace

It's amusing	È divertente
It's delicious	È squisito
It's easy	È facile
It's useful	È utile
It's practical	È pratico
It's fascinating	È affascinante
It's interesting	È interessante
It interests me	Mi interessa
It fascinates me	Mi affascina
It makes me laugh	Mi fa ridere

I don't like it — Non mi piace

It's annoying	È irritante
It's awful	È terribile
It's a waste of time	È una perdita di tempo
It's boring	È noioso
It's complicated	È complicato
It's difficult	È difficile
It's disgusting	È disgustoso

It's too big	È troppo grande
It's too small	È troppo piccolo
It's too complicated	È troppo complicato
It's too difficult	È troppo difficile
It's too expensive	È troppo caro
It's too far away	È troppo lontano
It's too long	È troppo lungo
It's too short	È troppo corto
It's not practical	Non è pratico
It's not possible	Non è possibile

It annoys me	Mi dà fastidio
It bores me	Mi annoia
It gets on my nerves	Mi dà sui nervi
It irritates me	Mi irrita
It makes me tired	Mi stanca
I have no money	Non ho soldi
I have no time	Non ho tempo
It's unbelievable	È incredibile

Miscellaneous

Here is/are	Ecco
There is/are	C'è/ci sono
Here I am	Eccomi
Here we are	Eccoci
He is nice	È simpatico
He is nice	È carino
He is nice	È gentile
She is nice	È simpatica
She is nice	È carina
She is nice	È gentile

If you have difficulties ...

I'm sorry, I don't understand ....Mi dispiace, non capisco

Would you repeat that, please? ....Può/Puoi ripetere, per piacere?

What does that mean? ....Cosa vuol dire?/Che cosa significa?

Do you speak English/Italian? ....Parla/Parli inglese/italiano?

What is that called in Italian? ....Come si dice quello in italiano?

How do you say that in Italian, please?...............Come si dice quello in italiano, per favore?

Speak more slowly, please...................................Parli/Parla più lentamente, per favore

I've forgotten the word for ... .Ho dimenticato come si dice ...

How do you pronounce that? ....Come si pronuncia?

How do you spell that, please? ....Come si scrive?

Would you write that for me, please? ....Me lo può/puoi scrivere, per favore?

Can you explain that, please?..............................Me lo può/puoi spiegare, per piacere?

Can you help me, please?.....................................Mi può/puoi aiutare, per piacere?

Will you come with me, please? ....Può/Puoi venire con me, per favore?

Helping someone else

What is the matter? ....Cosa c'è?

Have you got/Is there a problem? ....Ha/Hai/C'è un problema?

Would you like me to help you? ....Le/Ti serve aiuto?

May I help you? ....Posso aiutare?

Describing things and people

It's a sort of ... .È una specie di ...

It's a bit like ... .È un pò come ...

It's bigger than ... .È più grande di ...

It's as small as ... .È piccolo/a come ...

What does he/she look like? ....Com'è di aspetto?

He/She seems older...Sembra più vecchio/a

He seems nice ....Sembra simpatico/a

He/She is well-dressed..È ben vestito/È ben vestita

She seems unhappy..Sembra infelice

He has black hair and brown eyes......................È bruno e ha occhi castani

She is wearing school uniform...........................Indossa la divisa della scuola

Instructions you may meet in the Speaking Test

These instructions are given in both *voi* and *tu* forms

Answer the question..Rispondete/Rispondi alla domanda

Ask for the following information ....Chiedete/Chiedi l'informazione seguente

Ask questions..Fate/Fai domande

Describe the picture ....Descrivete/Descrivi l'immagine

End the conversation politely.............................Concludete/Concludi la conversazione cortesemente

Explain..Spiegate/Spiega

Greet the shopkeeper...Salutate/Saluta il/la negoziante

Greet the examiner..Salutate/Saluta l'esaminatore/l'esaminatrice
Look at the pictures/the photos.........................Guardate/Guarda le immagini/le fotografie
Repeat ....Ripetete/Ripeti
Speak ....Parlate/Parla
Say what you did...Raccontate/Racconta che cosa avete/hai fatto
Say what you saw..Raccontate/Racconta che cosa avete/hai visto
Thank the shopkeeper ....Ringraziate/Ringrazia il/la negoziante
Use these symbols to make up a dialogue ....Usate/Usa questi simboli per creare un dialogo
You are going to answer some questions.............Risponderete/Risponderai a qualche domanda
Describe what happened ....Descrivete/Descrivi che cosa è successo
Describe how it happened..................................Descrivete/Descrivi come è successo

Personal identification

Hello

May I introduce ...?..Posso presentare ...?
Pleased to meet you ....Piacere
You know Chris, don't you?...............................Conosce/Conosci Chris, vero?
What is your first name?....................................Come si chiama/ti chiami?
My name is ... .Mi chiamo ...
What nationality are you?...................................Di che nazionalità è/sei?
I am English/British...Sono inglese/britannico/a
I am Irish/Scottish/Welsh ....Sono irlandese/scozzese/gallese
Where do you come from? ....Di dove è/sei?
I come from London/Edinburgh ....Sono di Londra/Edimburgo
How old are you?...Quanti anni ha/hai?
I am 16...Ho sedici anni
When is your birthday?.......................................Quando compie/compi gli anni?
My birthday is 30th November ....Il mio compleanno è il 30 novembre
What is your date of birth? ....Quando è/sei nato/a?
I was born on 21 June 1989 ....Sono nato/a, a il ventun giugno
                                                  millenovecentottantanove
In which year were you born?.............................In quale anno è/sei nato/a?
I was born in 1990 ....Sono nato/a nel millenovecentonovanta
Where do you live?..Dove abita/abiti?
I live in Malvern ....Abito a Malvern
What is your address?..Qual'è il Suo/tuo indirizzo?
Write your address in capital letters ....Scriva il Suo/scrivi il tuo indirizzo in stampatello
I live at 302, Church Street...............................Abito a Church Street al numero trecentodue
What is your phone number?..............................Qual'è il Suo/tuo numero di telefono?
My phone number is 57-74-33............................Il mio numero di telefono è 57-74-33
The area code is ... .Il prefisso è ...
What is your e-mail address?.............................Qual'è il suo/il tuo indirizzo di posta elettronica?
My e-mail address is ... .Il mio indirizzo elettronico è ...

Have you got a fax number?	Ha/Hai un numero di fax?
No, sorry, I haven't got a fax number	No, mi dispiace, non ho un numero di fax
How long have you lived in Malvern?	Da quanto tempo abita/abiti a Malvern?
I have lived there for ten years	Abito lì da dieci anni
Have you any brothers or sisters?	Ha/Hai fratelli o sorelle?
I have one brother. His name is Paul	Ho un fratello. Si chiama Paul
He is older than I am. He is 18	È più vecchio di me. Ha diciotto anni
I have one sister	Ho una sorella
She is 13. She is younger than I am	Ha tredici anni. È più giovane di me
What does your father do?	Che lavoro fa Suo/tuo padre?
What does your mother do?	Che lavoro fa Sua/tua madre?
He is a builder. She is a nurse	Mio padre è costruttore edile. Mia madre è infermiera
My brother is married	Mio fratello è sposato
My sister is single/engaged	Mia sorella è nubile/fidanzata
My parents are separated/divorced	I miei genitori sono separati/divorziati
I have a stepbrother and a stepsister	Ho un fratellastro e una sorellastra
My stepfather is Italian	Il mio patrigno è italiano
My stepmother is a teacher	La mia matrigna è un'insegnante
My mother is a widow	Mia madre è vedova
My father is dead	Mio padre è morto

Being a guest

Arriving

How are you?	Come sta/stai?
I'm very well, thank you	Benissimo, grazie
How are your parents?	Come stanno i Suoi/tuoi genitori?
They are very well, thank you	Stanno molto bene, grazie
And how is your brother?	E come sta Suo/tuo fratello?
Unfortunately he is ill. He has flu	Sfortunatamente è ammalato. Ha l'influenza
Have you had a good journey?	Ha/Hai fatto buon viaggio?
The journey was very long	Il viaggio è stato molto lungo
The crossing was bad/good	La traversata è stata brutta/bella
I was sea-sick	Ho avuto il mal di mare
The flight was on time/late	Il volo era puntuale/in ritardo
I am tired	Sono stanco/a
Would you like something to eat/drink?	Vuole/Vuoi qualcosa da mangiare/da bere?
Yes, I'm hungry/I'm thirsty	Sì, ho fame/ho sete
Where is the bathroom?	Dov'è il bagno?
The bathroom is on the first floor	Il bagno è al primo piano
May I have a shower/bath?	Posso fare una doccia/un bagno?
Here is your room/the bathroom	Ecco la Sua/tua camera/il bagno
You can put your things in this wardrobe	Può/Puoi mettere le tue cose in questo armadio
Do you need anything?	Le/Ti occorre qualcosa?

I need some soap, please	Grazie, mi occorre del sapone
I have forgotten my toothbrush	Ho dimenticato il mio spazzolino da denti
Can you lend me a flannel?	Può/Puoi prestarmi un guanto di spugna?
Did you sleep well?	Ha/Hai dormito bene?
I slept very well, thank you	Grazie, ho dormito benissimo
What do you usually have for breakfast?	Per colazione cosa mangia/mangi normalmente?
I have toast and tea	Mangio del pane tostato e bevo del tè
Is there anything you don't like to eat?	C'è qualcosa che non Le/ti piace mangiare?
I don't like spinach	Non mi piacciono gli spinaci
Is this your first visit to Italy?	È la Sua/tua prima visita in Italia?
Have you ever been abroad before?	È/Sei già stato/a all'estero?
I went on a school visit/exchange last year	Ho partecipato a una visita scolastica/a uno scambio l'anno scorso
I went to Spain with my parents	Sono andato/a in Spagna con i miei genitori

In the home

Make yourself at home	Si consideri a casa Sua/Considerati a casa tua
Would you like to listen to CDs/the radio?	Vuole/Vuoi ascoltare dei CD/la radio?
Would you like to watch TV/a video?	Vuole/Vuoi guardare la televisione/un video?
Would you like to borrow my CD player?	Vuole/Vuoi prendere in prestito il mio lettore CD?
Would you like to go out this evening?	Vuole/Vuoi uscire questa sera?
Yes, please	Sì, grazie
May I help you?	Posso aiutarLa/aiutarti?
May I give you a hand?	Vuole/Vuoi una mano?
Shall we set/clear the table?	Apparecchiamo/sparecchiamo la tavola?
Will you close the window, please?	Le/Ti dispiace chiudere la finestra, per favore?
What is there to be done?	Cosa c'è da fare?
I have to tidy up my room	Devo mettere in ordine la mia camera
I am going to do my homework	Faccio i compiti
Would you like to borrow a book?	Vuole/Vuoi prendere in prestito un libro?
What is it about?	Di che cosa tratta?
Who is it by?	Di chi è?
I like reading books and magazines	Mi piace leggere libri e riviste
I don't like reading newspapers	Non mi piace leggere i giornali
May I watch TV/listen to the radio?	Posso guardare la televisione/ascoltare la radio?
May I phone my parents, please?	Posso telefonare ai miei genitori, per favore?

Goodbye

See you soon/See you next year	A presto/All'anno prossimo
Have a good journey home	Buon ritorno (a casa)
Thank you for everything	Grazie di tutto
I've had a wonderful holiday	Ho passato una magnifica vacanza
You have been so kind	È/Sei stato/a così gentile
I'll come with you to the station	Vengo con Lei/te alla stazione

You'll phone us when you get home, won't you? .....Ci telefoni/Telefonaci quando arriva/arrivi a casa!

Have you forgotten anything? ....Non ha/hai dimenticato nulla?

Have you got everything? ....Ha/Hai preso tutto?

Say thank you to your parents for me, please .....Ringrazia i tuoi genitori da parte mia

Will you be able to come back next year? ....Potrà/Potrai ritornare l'anno prossimo?

I'd love to come and see you again.....................Mi piacerebbe moltissimo ritornare e rivederti

Write soon! ....Scriva/Scrivi presto!

School

What time do you get up? ....A che ora ti alzi?

I get up at 7.00 ....Mi alzo alle sette

What time do you leave home in the morning? ...A che ora parti da casa la mattina?

I leave home at 8.15 ....Parto da casa alle otto e un quarto

How do you go to school? ....Come vai a scuola?

I go by bus/car/train/bike ....Vado in bus/in auto/in treno/in bicicletta

My brother walks to school.................................Mio fratello va a scuola a piedi

We live 2 km from school....................................Abitiamo a 2 chilometri dalla scuola

How long does it take you to get there?.............Quanto tempo impieghi per arrivare?

It takes me 20 minutes to walk ....Impiego 20 minuti a piedi

What time do you arrive at school? ....A che ora arrivi a scuola?

I arrive at school at 8.35....................................Arrivo a scuola alle otto e trentacinque

When do lessons start?.......................................Quando iniziano le lezioni?

Lessons start at 9.00...Le lezioni iniziano alle nove

When is your lunch time? ....Quando c'è l'intervallo per il pranzo?

Lunch time is at 12.30...L'intervallo per il pranzo è a mezzogiorno e mezzo

When does school end?..Quando finisce la scuola?

School ends at 3.40 ....La scuola finisce alle quindici e quaranta

What time do you get home? ....A che ora ritorni a casa?

I get home at 4.10..Ritorno a casa alle sedici e dieci

What time do you go to bed? ....A che ora vai a letto?

I go to bed at 10.30 ....Vado a letto alle ventidue e trenta

How many lessons do you have each day? ....Quante lezioni hai ogni giorno?

We have six lessons a day....................................Abbiamo sei lezioni al giorno

How long do your lessons last? ....Quanto durano le lezioni?

Our lessons last 50 minutes ....Le lezioni durano cinquanta minuti

What is your favourite subject? ....Qual'è la tua materia preferita?

My favourite lesson is Italian..............................La mia lezione preferita è l'italiano

Which subject do you dislike? ....Quale materia non ti piace?

I can't stand History..Detesto la storia

I find German very difficult ....Trovo il tedesco molto difficile

The grammar is difficult ....La grammatica è difficile

My sister prefers PE..Mia sorella preferisce l'educazione fisica

What do you do during break?............................Cosa fai durante l'intervallo?

I talk to my friends during break.........................Durante l'intervallo chiacchiero con i miei amici

Do you eat in the canteen at midday?..................Mangi alla mensa a mezzogiorno?

What do you eat at lunch time?............................Cosa mangi per pranzo?

I have sandwiches at midday ....A mezzogiorno mangio panini

How many weeks summer holiday do you have? Quante settimane di vacanza hai in estate?

We have six weeks' holiday in summer ....In estate abbiamo sei settimane di vacanza

When do you go back to school?.........................Quando ricominci la scuola?

We go back on September 6th.............................Ricominciamo il sei settembre

Do you have a lot of homework?.........................Hai molti compiti?

Yes, I think we get too much homework.............Sì, penso che ci diano troppi compiti

How many hours homework do you do each evening? ...Quante ore passi sui compiti ogni sera?

I do two hours homework each evening..............Faccio due ore di compiti ogni sera

What do you do in the evening? ....Cosa fai la sera?

I do my homework and listen to music in the evening ....La sera faccio i compiti e ascolto la musica

Do you help your father/mother prepare the meal? ....Aiuti tuo padre/tua madre a preparare la cena?

No, but I have to do the washing up ....No, ma devo lavare i piatti

Do you watch TV in the evening? ....Guardi la televisione la sera?

Yes, sometimes..Sì, qualche volta

Part-time jobs, work experience and pocket money

Do you have a Saturday job? ....Hai un lavoretto il sabato?

Yes, I work on Saturday.......................................Sì, il sabato lavoro

No, I do not have a Saturday job.........................No, non ho un lavoretto il sabato

Where do you work?..Dove lavori?

I work in a shop ....Lavoro in un negozio

What is your job?..Che cosa fai?

I am a sales assistant ....Faccio il commesso/la commessa

When do you start work in the morning? ....A che ora cominci a lavorare?

I start at 8.00 am ....Comincio alle otto

How much do you earn an hour?.........................Quanto guadagni all'ora?

I earn ... per hour...Guadagno ... all'ora

What time do you finish work? ....A che ora finisci di lavorare?

I finish (work) at 4.30 ....Finisco (di lavorare) alle sedici e trenta

I go babysitting for neighbours ....Bado ai bambini dei vicini

Last year I did work experience in a factory........L'anno scorso ho fatto esperienza di lavoro/uno stage in una fabbrica

I have £ ... pocket money ....Ho ... sterline di paghetta

What do you do with your money?......................Cosa ne fai dei tuoi soldi?

I am saving up for a computer ....Sto risparmiando per comprarmi un ordinatore

I like buying clothes/books/computer games.......Mi piace comprare vestiti/libri/giochi per ordinatore

Shopping

You will say:

Is there a post-office near here?	C'è un ufficio postale qui vicino?
Which is the way to the bank, please?	Mi può indicare la strada per arrivare alla banca, per favore?
Do you sell …?	Vende …?
May we look round?	Possiamo dare un'occhiata?
I'm just looking	Do solo un'occhiata
Please could you tell me where I can buy …?	Può dirmi dove posso comprare …?
I would prefer …	Preferirei …

Paying:

How much is it?	Quant'è?
How much do I owe you?	Quanto Le devo?
Do I have to pay at the till?	Devo pagare alla cassa?
May I pay by credit card/cheque?	Posso pagare con la carta di credito/con assegno?
Can I use a Visa® card?	Posso usare una carta Visa®
Do you take cheques?	Prende assegni?
Have you got change for 20 euros?	Può cambiare venti euro?
I've only got a 50 euro note	Ho solo una banconota da cinquanta euro

You will hear:

Who is next?	A chi tocca?
May I help you?	Desidera?
Anything else?	Desidera altro?
We haven't got any	Non ne abbiamo
Is that all?	È tutto?
Have you got any change?	Ha della moneta?
What is your size? (Clothes)	Che taglia ha?(Abbigliamento)
What size do you take? (Shoes)	Che misura ha?(Calzature)

Food

Have you any bread/meat/olive oil/eggs?	Ha del pane/della carne/dell'olio d'oliva/delle uova?
Have you got a small packet of coffee?	Ha un pacchetto di caffè?
I would like three peaches, please	Vorrei tre pesche, per favore
Give me a kilo of potatoes, please	Mi dia un chilo di patate, per favore
I'll take two tins of sardines	Prendo due scatole di sardine
I'd like 250 grammes of chocolate	Prendo 250 grammi di cioccolata
No thank you, I won't take that - it's too dear	No, grazie, non lo prendo - è troppo caro

Amounts and quantities

100 grammes of …	cento grammi/un etto di …
500 grammes of cherries	mezzo chilo di ciliege
A kilo of apples	un chilo di mele

A bottle of … ....una bottiglia di …
A jar of … ....un vasetto di …
A packet/tin of biscuits ....un pacco/una scatola di biscotti
A piece of cake ....una fetta di torta
A slice of ham..una fetta di prosciutto
The oranges are 50 cents each ....Le arance costano cinquanta centesimi ciascuna

Clothes

What size is it?...Che taglia è?
I am size 14...Ho la taglia 46
How much does that pullover cost?....................Quanto costa quella maglia?
Do you have it in a different colour?..................L'ha in un altro colore?
May I try on the blue skirt, please?....................Vorrei provare la gonna blu, per favore
It's too big/small/tight/expensive ....È troppo grande/piccola/stretta/cara
Have you anything cheaper?...............................Ha qualcosa di meno caro?

Shoes

Where is the shoe department, please?...............Dov'è il reparto calzature, per favore?
I would like to try on these black shoes, please...Vorrei provare queste scarpe nere, per favore
I take size 6 ....Prendo il 39
They are too tight...Sono troppo strette
I prefer the blue sandals ....Preferisco i sandali blu

Presents and souvenirs

Have you got any postcards, please? ....Ha delle cartoline, per favore?
Do you sell films?..Vende pellicole?
How much does this book cost, please? ....Quanto costa questo libro, per favore?
I would like to buy a black leather handbag ....Vorrei comprare una borsa in pelle nera
May I see the bag in the window on the left? ......Vorrei vedere la borsa che è in vetrina, a sinistra
It's for a present..È per un regalo
Will you gift-wrap it, please? ....Mi fa una confezione regalo, per favore?

Problems

I think there is a mistake....................................Credo (che) ci sia uno sbaglio
The colour does not suit me................................Il colore non mi sta bene
I have kept the receipt..Ho tenuto la ricevuta
I would like to change this bag ....Vorrei cambiare questa borsa
I followed the washing instructions, ...Ho seguito le istruzioni di lavaggio,
    but this pullover has shrunk   ma questa maglia si è ristretta
Excuse me, these shoes are not the same size .....Scusi, ma queste scarpe non hanno la stessa misura

Eating and drinking

In a café

Could you tell me the way to the Bar Centrale? ..Può dirmi dov'è il Bar Centrale?

I've promised to meet my penfriend there ....Ho promesso di incontrare lì i miei amici di penna

Let's go for a drink...Andiamo a bere qualcosa

I'll buy you a drink..Le/Ti offro da bere

I'm paying ....Offro io

Waiter! ....Cameriere!

Waitress! ....Cameriera!

What will you have? ....Cosa prende/prendi?

What would you like to drink? ....Cosa vuole/vuoi bere?

Do you wish to order?..Vuole ordinare?

I would like a bottle of lemonade, please.............Vorrei una bottiglia di limonata, per favore

I would like a beer, please..................................Vorrei una birra, per favore

Anything else? ....Nient'altro?

Have you got any crisps, please? ....Ha delle chips, per favore?

Do you sell sandwiches?.....................................Ha dei panini?

What sort of sandwiches have you got?...............Che tipo di panini ha?

Have you got any cheese sandwiches, please?.....Ha dei panini al formaggio, per favore?

How much is a ham sandwich?...........................Quant'è un panino al prosciutto?

How much do I owe you? ....Quanto Le devo?

Is the service charge included? ....Il servizio è compreso?

In a restaurant

Have you got a table for four? ....Ha un tavolo per quattro?

What name is it? ....A che nome?

I've reserved a table in the name of Robert ....Ho riservato un tavolo a nome di Robert

I'd like a table near the window/........................Vorrei un tavolo vicino alla finestra/
  on the terrace, please   in terrazza, per favore

I'd like to see the menu, please ....Vorrei vedere il menù, per favore

What do you recommend? ....Che cosa consiglia?

I recommend the fish ....Consiglio il pesce

Today's set meal is … ....Il menù di oggi è …

I'll have the 20 euro meal ....Prendo il menù da venti euro

Have you decided?...Ha deciso?

I'd like to order now ....Vorrei ordinare adesso

To start with, I'll have tomato salad ....Per cominciare, prendo l'insalata di pomodori

For the main course, I'd like steak and chips.......Per secondo vorrei bistecca e patatine fritte

What sort of vegetables have you got? ....Cosa c'è di contorno?

I like mushrooms...Mi piacciono i funghi

I won't have spinach; I don't like spinach ....Non mangio spinaci, non mi piacciono gli spinaci

I'll have peas and carrots, please ....Prendo piselli e carote

For dessert I'll have ice cream ....Per dolce prendo del gelato

Which flavours have you got? ....Che gusti ha?

I prefer chocolate ice cream................................Preferisco il gelato alla cioccolata

I'll have mineral water to drink ....Da bere prendo acqua minerale

May I have the bill, please? ....Mi porta il conto, per favore?

Difficulties

We need another fork...Ci occorre un'altra forchetta

I ordered 20 minutes ago ....Ho ordinato venti minuti fa

That's not what I ordered....................................Non ho ordinato questo

You have brought vanilla ice cream, ...Lei mi ha portato un gelato alla vaniglia,
   but I ordered a chocolate ice cream   ma io ho ordinato un gelato al cioccolato

We would like some sugar, please......................Vorremmo dello zucchero, per favore

The meat is overdone..La carne è troppo cotta

Please will you change this glass ....Può cambiare questo bicchiere, per favore?

I think there is a mistake in the bill...................Credo (che) ci sia un errore nel conto

Services

At the bank

Which is the counter for changing money? ....Qual'è lo sportello del cambio?

I would like to change some travellers' cheques . ...Vorrei cambiare degli assegni travellers

Is there a commission?...C'è una commissione?

What is the exchange rate for the pound?...........Quanto è il cambio per la sterlina?

Have you any means of identification?................Ha un documento d'identità?

May I see your passport? ....Posso vedere il Suo passaporto?

Do I have to sign?..Devo firmare?

Where do I have to sign? ....Dove devo firmare?

Would you sign, please...Firmi, per favore

What is today's date?...Che giorno è oggi?

May I borrow a pen, please?................................Può prestarmi una penna, per favore?

What time does the bank open/close?..................A che ora apre/chiude la banca?

At the Post Office

How much does it cost to send a letter ....Quanto costa mandare una lettera
   to the UK, please?   nel Regno Unito, per favore?

I would like to send this parcel to the UK ....Vorrei mandare questo pacco nel Regno Unito

How long will it take? ....Quanto tempo occorre?

Letters usually take three days............................Normalmente le lettere impiegano tre giorni

Six stamps for the UK, please ....Sei francobolli per il Regno Unito, per favore

Where is the letter box?.......................................Dov'è la buca delle lettere?

Over there, next to the phone box........................Qui, accanto alla cabina telefonica

I'd like to send a telegram...................................Vorrei mandare un telegramma

How much is it per word?.....................................Quant'è per parola?

What time is the next collection? ....A che ora è la prossima levata?

Is the post office open on Saturday morning? .....L'ufficio postale è aperto sabato mattina?

Will you weigh this parcel, please? ....Può pesare questo pacco, per favore?

Is there a letter for me? ....C'è una lettera per me?

What is your name? ....Come si chiama?

My name is … ....Mi chiamo …

Have you any means of identification? ....Ha un documento d'identità?

Here is my passport..Ecco il mio passaporto

Using the phone

Hello, Anna speaking...Pronto, sono Anna

This is the Gambrini's house ....Qui casa Gambrini

I am Michele's English penfriend.......................Sono l'amico di penna inglese di Michele

Is Michele there?..C'è Michele?

Everyone's out. Can I take a message?................Sono usciti tutti. Vuole/Vuoi lasciare un messaggio?

It's the first time I've used a phone in Italy ....È la prima volta che uso il telefono in Italia

Say that again, please ....Può/Puoi ripetere, per favore?

Will you spell that, please? ....Può/Puoi compitarlo, per favore?

You are wanted on the phone...............................C'è una chiamata per Lei/te

Can I use the phone box outside ....Posso usare il telefono pubblico fuori
    the Post Office?   dell'Ufficio Postale?

Is it a card phone? ....È un telefono a scheda telefonica?

Do you sell phone cards? ....Vende schede telefoniche?

I would like a 10 euro card..................................Vorrei una scheda telefonica da dieci euro

Can I phone from here?..Posso telefonare da qui?

Can you get me 57-74-33, please........................Può darmi il 57-74-33, per favore?

What is your phone number? ....Qual'è il suo numero di telefono?

Do you know the area code?...............................Conosce il prefisso?

What is the code for London?.............................Qual'è il prefisso per Londra?

Our phone number is 57-74-33 ....Il nostro numero di telefono è il 57-74-33

Have you got a mobile? ....Ha/Hai un cellulare?

Can I text you?..Posso mandarti un messaggino?

Where are the directories? ....Dove sono gli elenchi abbonati?

You must phone Directory Enquiries...................Deve telefonare al Servizio Informazione Abbonati

Can you tell me the number of the hospital, please? ....Qual'è il numero dell'ospedale, per favore?

I've been cut off ....È saltata la linea

Hold the line..Resti in linea!

Don't hang up ....Non riattacchi

I need to phone UK. What do I have to do?.........Devo telefonare nel Regno Unito. Cosa devo fare?

To ring UK,...Per telefonare nel Regno Unito,
    dial 00 44,   componga lo zero zero quattro quattro,
    then the area code without the 0,   poi il prefisso della località meno lo zero,
    then the number of the person you are ringing   poi il numero dell'abbonato richiesto

The workplace

Phoning at work

Is Mr Dellera available today?	Il Signor Dellera c'è oggi?
May I speak to the Personnel Manager?	Vorrei parlare con il Direttore del Personale
I have an appointment with the Personnel Manager	Ho un appuntamento con il Direttore del Personale
I saw your advert in the paper	Ho visto il Suo annuncio sul giornale
Can you send me a job application form?	Può mandarmi un modulo di domanda?
I would like to speak to …	Vorrei parlare con …
Can you put me through to …, please?	Può passarmi …, per favore?
Do you know his/her extension?	Sa il suo numero interno?
I would like to make an appointment with …	Vorrei un appuntamento con …
Who is speaking?	Chi parla?
Can you wait?	Può aspettare?
He is in a meeting	È in riunione
When can I speak to him?	Quando posso parlargli?
I phoned, but it was engaged	Ho telefonato, ma era occupato
Can you ring back?	Può ritelefonare?
What time shall I ring back?	A che ora devo ritelefonare?
I'll ring back at midday	Ritelefonerò a mezzogiorno
May I leave a message?	Posso lasciare un messaggio?
Please tell Sig Martini that Siga Guzzini called	Per cortesia, dica al Signor Martini che la Signora Guzzini ha chiamato
May I take a message for him/her?	Posso prendere un messaggio per lui/per lei?
Can we arrange a meeting?	Possiamo organizzare un incontro?
Can you fax me a message?	Può mandarmi un fax?
My fax number is …	Il mio numero di fax è …
Can you send me an e-mail, please?	Può contattarmi a mezzo posta elettronica?
My e-mail address is …	Il mio indirizzo elettronico è …

Applying for a job

Where is the Job Centre, please?	Dov'è l'Ufficio di Collocamento, per favore?
I want to find a job	Voglio trovare un posto di lavoro
I'm looking for a part-time job	Sto cercando un lavoro a tempo parziale
Where do you come from?	Da dove viene?
I come from Malvern	Sono di Malvern
Are you staying long in Italy?	Si ferma molto in Italia?
Yes, I'm staying for six weeks	Sì, sono qui per sei settimane
What work have you done before?	Che lavoro ha fatto precedentemente?
I've worked in a supermarket	Ho lavorato in un supermercato
Why did you decide to apply for this job?	Perché ha deciso di fare domanda per questo lavoro?
It interests me	Mi interessa
Have you any experience of office work?	Ha esperienza di lavori d'ufficio?
What sort of work experience have you done?	Che tipo di esperienze ha fatto?

I did work experience in an office ....Ho fatto tirocinio in un ufficio
Are you computer-literate? ....Sa usare l'ordinatore?
Yes, I have a computer at home ....Sì, ho un ordinatore a casa
What languages have you studied besides Italian? ....Che lingue ha studiato, oltre all'italiano?
I have studied German/Spanish ....Ho studiato il tedesco/lo spagnolo
Are you willing to work on Saturday? ....È disposto/a a lavorare il sabato?
Yes, certainly. ....Sì, certamente
Can you give me details about the job? ....Può darmi informazioni sul lavoro?
You will deal with the post................................Lei si occuperà della posta
You will have to do the filing ....Dovrà lavorare per l'archivio
When can you start?..Quando può cominciare?
I can start whenever you wish............................Posso cominciare quando vuole Lei
Will you fill in the form, please? ....Per favore compili il modulo

Holidays

At the tourist office

What should we see in the town?........................Cosa c'è da vedere in città?
Do you do guided tours of the town?..................Avete visite guidate della città?
I would like a town plan, please..........................Vorrei una cartina della città, per favore
Have you like a map of the area?........................Ha una cartina della regione?
Can you give me a list of campsites?..................Può darmi una lista di campeggi?
Can you recommend a good hotel/ ....Può consigliare un buon albergo/
    restaurant in the town?   ristorante in città?
We are only spending three days here..................Siamo qui solo per tre giorni
Have you any brochures about the cathedral?......Ha qualche opuscolo sulla cattedrale?
When is the museum open? ....Quando apre il museo?
Is it closed on Tuesdays? ....È chiuso il martedì?
Do you have to pay to go in? ....Si deve pagare l'ingresso?
Where is the bus station? ....Dov'è la stazione dei bus?
May I have a bus timetable, please? ....Ha un orario dei bus, per piacere?
Can one go for trips to the seaside? ....Si possono fare escursioni al mare?
Where can I hire a car/bike? ....Dove posso noleggiare un'auto/una bicicletta?
Have you information about other parts of Italy? Ha informazioni su altre regioni italiane?
I like visiting castles/churches ....Vorrei visitare castelli/chiese
I have never been there ....Non ci sono mai stato/a
Can I get there by train?....................................Posso arrivarci in treno?
Do I have to go on the motorway? ....Devo andare in autostrada?
Where do I get onto the motorway?....................Dov'è l'ingresso dell'autostrada?
Which exit is it?..A che uscita è?
It's exit Genova Est..È all'uscita Genova Est

At the hotel

Do you have any rooms available?	Ha camere libere?
No, I'm sorry, the hotel is full	No, mi dispiace, l'albergo è completo
Is there another hotel nearby?	C'è un altro albergo qui vicino?
I have reserved a room in the name of Robert	Ho prenotato una camera a nome di Robert
I phoned you two days ago	Ho telefonato due giorni fa
I sent you a fax yesterday	Ho mandato un fax ieri
No, I am not Mr X, I am Mr Y	No, non sono il Signor X, sono il Signor Y
I would like a single room	Vorrei una camera singola
I would like a double room	Vorrei una camera doppia
with a double bed/with twin beds	con letto matrimoniale/letti gemelli
with bathroom/shower	con bagno/doccia
For how long?/For how many nights?	Per quanto tempo?/Per quante notti?
We shall be staying for four nights	Ci fermiamo quattro notti
What is the price per person/per night?	Quanto costa per persona/per notte?
Is breakfast included?	È compresa la colazione?
May I have the key to my room, please?	Vorrei le chiavi della mia camera, per favore
Here is the key for room 108	Ecco la chiave per la camera cento e otto
Is there a car park?	C'è un parcheggio?
You can park behind the hotel	Può parcheggiare dietro l'albergo
Parking is not allowed in front of the hotel	Il parcheggio è vietato di fronte all'albergo
When is breakfast?	Quando servite la colazione?
You can have breakfast between 7.00 and 10.00	Può fare colazione dalle sette alle dieci
At what time is dinner served?	A che ora è servita la cena?
Dinner is served from 8.00 until 10.00 pm	La cena è servita dalle venti alle ventidue
Is there a lift? Does the lift work?	C'è un ascensore? L'ascensore funziona?
Does the hotel have a restaurant?	L'albergo ha un ristorante?
I'm sorry, we do not have a restaurant	Mi dispiace, non abbiamo ristorante
There is a very good restaurant on the corner	C'è un ottimo ristorante all'angolo
May I have towels and soap for Room 108, please?	Può darmi gli asciugamani e il sapone per la camera cento e otto, per favore?
There are no coathangers in Room 108	Non ci sono appendiabiti nella camera 108
I have lost the key to my room	Ho perso le chiavi della mia camera
I'm sorry, but I have broken the lamp	Mi dispiace, ho rotto la lampada
We could not sleep because of the traffic noise	Non abbiamo potuto dormire a causa del rumore del traffico
We would like to change rooms, please	Vorremmo cambiare camera, se non Le dispiace
Please can someone bring up my cases?	C'è qualcuno che può portarmi su le valige?
May I have the bill, please?	Mi dà il conto, per favore

At the youth hostel

Where is the nearest youth hostel, please?..........Dov'è l'ostello più vicino?

May I see the warden, please?............................C'è il portiere, per favore?

Have you any beds available for tonight?............Ha letti liberi per questa notte?

There are three of us, two girls and one boy........Siamo in tre, due ragazze e un ragazzo

How much is it per night?....................................Quant'è per notte?

How much is breakfast/evening meal? ....Quanto costa la colazione/il pasto serale?

Can I hire a sleeping bag? ....Posso noleggiare un sacco a pelo?

Where is the boys'/girls' dormitory, please? ....Dov'è il dormitorio per ragazzi/ragazze, per piacere?

The girls' dormitory is on the first floor ....Il dormitorio per ragazze è al primo piano

The TV room/day room/games room is...............La sala televisione/il soggiorno/la sala giochi è
   on the ground floor   al piano terreno

What time do we have to be back at night?.........A che ora si deve rientrare la sera?

At the camp site

Have you got room for a tent? ....Ha posto per una tenda?

Have you got a pitch for a caravan, please?.........Ha posto per una roulotte?

How long do you plan to stay?............................Quanto pensa di fermarsi?

We would like to stay until Saturday ....Vorremmo fermarci fino a sabato

We would like to stay four nights in all ....Vorremmo fermarci quattro notti in tutto

I would like to be near the swimming pool.........Vorrei essere vicino alla piscina

I do not like being under trees...........................Non mi piace stare sotto gli alberi

How many people are there?..............................Quante persone ci sono?

There are four of us, 2 adults and 2 children ....Siamo in quattro, due adulti e due bambini

Is there half-price for children?..........................I bambini pagano metà tariffa?

Is there a shop on site?......................................C'è un negozio nel campeggio?

The toilet block is by the trees ....Il blocco servizi igienici si trova vicino agli alberi

The dustbins are behind the toilet block ....I cassonetti dei rifiuti sono dietro il blocco servizi
                                          igienici

Is there an electric connection for caravans? ....C'è una presa di corrente per le roulottes?

Where can I get a bottle of Camping Gaz®? ....Dove posso ottenere una bombola di Camping
                                          Gaz®?

Is there a play area for the children? ....C'è uno spazio giochi per i bambini?

Can we get take-away meals on site?..................I piatti da asporto sono in vendita nel campeggio?

The shower is not working...................................La doccia non funziona

We have no electricity...Non abbiamo elettricità

May we have a barbecue? ....Possiamo fare una grigliata?

Travel and transport

By train

Where is the nearest station?	Dov'è la stazione più vicina?
How far is that?	Quanto dista?
Where is that exactly?	Dov'è, esattamente?
What time does the train leave for Leghorn?	A che ora parte il treno per Livorno?
When/At what time does it arrive there?	Quando/A che ora arriva?
Which platform does the train go from?	Da quale binario parte il treno?
Is it a through train?	È un treno diretto?
Do I have to change?	Devo cambiare?
When does the train from Genoa arrive?	Quando arriva il treno da Genova?
A single ticket to Pisa, please	Un'andata per Pisa, per favore
A second class return to Taranto, please	Un'andata e ritorno in seconda per Taranto, per favore
When does the next train for Trieste leave?	A che ora parte il prossimo treno per Trieste?
Is there a train this morning/about 3.00 pm/ this evening?	C'è un treno questa mattina/verso le quindici/ questa sera?
I'd like to reserve a seat	Vorrei prenotare un posto
I'd like a seat near the window	Vorrei un posto vicino alla finestra
How long does the journey take?	Quanto tempo occorre per il viaggio?
The journey takes about two hours	Il viaggio dura circa due ore
How much does a first class ticket cost?	Quanto costa un biglietto di prima classe?
How long will I have to wait?	Quanto devo aspettare?
Will the train arrive on time?	Il treno arriverà in orario?
The train will be an hour late because of track repairs	Il treno arriverà con un'ora di ritardo a causa di lavori sulla linea
You have missed the train	Ha perso il treno
It left ten minutes ago	È partito dieci minuti fa
It is already 10 past 9	Sono già le nove e dieci
It is not yet 10.30	Non sono ancora le dieci e trenta
The clock is right	L'orologio è corretto
The clock is fast/slow	L'orologio anticipa/ritarda

By plane

When does the next plane for Olbia leave?	Quando parte il prossimo aereo per Olbia?
Is there a flight to London today/ this morning/this evening?	C'è un volo per Londra oggi/ questa mattina/questa sera?
A tourist class ticket	Un biglietto in classe turistica
I would like to leave this morning	Vorrei partire questa mattina
There are no more seats available	Non ci sono più posti disponibili
I'd like to change flights	Vorrei cambiare volo
Is there a coach/bus to the airport?	C'è un pullman/bus per l'aeroporto?
Can you confirm the arrival time of the plane from London?	Può confermare l'ora di arrivo del volo da Londra?

18

Can you confirm the departure time ....Può confermare l'ora di partenza
    of the plane to Barcelona?   del volo per Barcellona?

The flight has been delayed ....Il volo ha subito un ritardo

It took off an hour late ....Ha decollato un'ora in ritardo

Where are my cases?...Dove sono le mie valige?

I checked them in at Heathrow ....Le ho consegnate al banco di accettazione a Heathrow

By bus/metro/tram

Where is the bus stop? ....Dov'è la fermata d'autobus?

A 7-day ticket, please.......................................Un biglietto da sette giorni, per favore

Don't forget to stamp your ticket........................Non dimentichi di convalidare il Suo biglietto

The bus was half an hour late ....L'autobus aveva un ritardo di trenta minuti
    because of the fog/snow   a causa della nebbia/neve

How often do the buses run?...............................Con che frequenza passano gli autobus?

I've been waiting 20 minutes already ....Aspetto già da venti minuti

What time is the first/last bus?............................A che ora è il primo/l'ultimo autobus?

Is this the right bus for the town centre?..............È questo l'autobus che va in centro?

You get off at the town hall ....Scenda alla fermata del municipio

Have I missed the last bus?.................................Ho perso l'ultimo autobus?

The nearest tube station is by the theatre ....La stazione metropolitana più vicina è accanto al teatro

Which line do I have to take? ....Che linea devo prendere?

You change here/at the next station ....Cambi qui/alla prossima fermata

Are there any seats? ....Ci sono posti?

This seat is taken...Questo posto è occupato

The underground is very convenient...................La metropolitana è molto comoda

By taxi

Would you like to phone for a taxi? ....Vuole/Vuoi telefonare per un taxi?

I haven't got the fare for a taxi...........................Non ho soldi per un taxi

Where is the taxi rank, please? ....Dov'è il posteggio taxi, per favore?

How much would it cost to go to the airport?......Quanto costa andare all'aeroporto?

How long does the journey take?........................Quanto dura il tragitto?

Will you come for me at 9.00 ....Mi può passare a prendere alle nove
    tomorrow morning?   domani mattina?

On the boat

Do you want to go on deck? ....Vuole/Vuoi andare sul ponte?

I've lost my landing card....................................Ho perso la mia carta d'imbarco

I feel seasick! ....Ho mal di mare!

At the garage

Do you do repairs? ....Fa riparazioni?

My car has broken down.....................................La mia auto ha un guasto

I've run out of petrol ....Ho finito la benzina

I've got a puncture ....Ho una gomma a terra

The engine won't start .... Il motore non parte

The brakes/The lights are not working .... I freni/Le luci non funzionano

The battery is flat .... La batteria è scarica

What make of car is it? .... Che tipo di auto è?

What is your registration number? .... Qual'è il numero di targa?

Where are you exactly? .... Dove si trova, esattamente?

I'm on the A30, 5 kilometres from Salerno .... Sono sulla A30, a cinque chilometri da Salerno

At the petrol station

30 litres of unleaded/super unleaded, please .... Trenta litri di benzina senza piombo/super senza piombo, per favore

25 litres of diesel, please .... Venticinque litri di diesel, per favore

Fill it up, please .... Il pieno, per favore

Please check the oil/water .... Per cortesia, controlli l'olio/l'acqua

Please check the battery/the tyres .... Per favore, controlli la batteria/le gomme

Will you reverse, please? .... Può fare marcia indietro, per favore?

Will you switch the engine off, please? .... Può spegnere il motore, per piacere?

Do you take credit cards? .... Accetta carte di credito?

Are there any toilets here? .... Ci sono servizi igienici qui?

Do you sell maps/town plans/drinks? .... Vende carte stradali/carte della città/bevande?

Over there by the cash desk/toilets .... Laggiù, vicino alla cassa/alle toelette

Is it self-service? .... È un self-service?

One of your tyres is soft .... Una delle gomme è un pò sgonfia

I would like to pump up the tyres .... Vorrei gonfiare le gomme

Hiring a bicycle

I would like to hire a bike, please .... Vorrei noleggiare una bicicletta, per favore

A touring bike/a mountain bike .... Una bicicletta/una mountain bike

Is there a repair kit with the bike? .... C'è una borsa di attrezzi inclusa con la bicicletta?

You have to pay 100 euros deposit .... Deve pagare cento euro di deposito

Will you fill in this form, please? .... Può completare questo modulo, per cortesia?

How long do you want the bikes? .... Per quanto tempo vuole tenere le biciclette?

For three days .... Per tre giorni

Asking directions

How do I get to the cathedral, please? .... Come si arriva alla cattedrale, per favore?

Where is the station, please? .... Dov'è la stazione, per favore?

Is it far? .... È lontano?

No, it's quite close .... No, è abbastanza vicino

Is there a hotel near here? .... C'è un albergo qui vicino?

How long will it take? .... Quanto tempo ci vuole?

Are you walking or in a car? .... Va/vai a piedi o in automobile?

It will take twenty minutes on foot .... A piedi ci vogliono trenta minuti

Turn left at the traffic lights .... Al semaforo giri/gira a sinistra

It's on your right after the library.........................È alla Sua/alla tua destra, dopo la biblioteca

Go straight on as far as the roundabout ....Vada/Vai dritto fino alla rotatoria

Cross the road ....Attraversi/Attraversa la strada

Go up/down the road..Vada/Vai su/giù per la strada

Go along the road...Segua/Segui la strada

Follow this road till you get to the town hall ....Segua/segui questa strada fino al municipio

Take the first/second/third on the right...............Prenda/prendi la prima/seconda/terza a destra

It is a large building near the sea........................È un grande edificio vicino al mare

You can get there by bus/tram/metro...................Può/Puoi andarci in autobus/in tram/in metropolitana

You'll have to take a taxi....................................Dovrà/Dovrai prendere un taxi

It's thirty kilometres from here ....È a trenta chilometri da qui

Opposite the bank ....Di fronte alla banca

On the right of the cinema ....A destra del cinema

To the left of the park..A sinistra del parco

Beside the lake ....Vicino al lago

Between the chemist's and the supermarket........Fra la farmacia e il supermercato

At the end of the corridor.....................................Alla fine del corridoio

On the first/second/top floor ....Al primo/secondo/all'ultimo piano

It's near to the old house with a red roof ....È vicino alla vecchia casa con il tetto rosso

Invitations and outings

Making arrangements

What would you like to do this evening?.............Cosa vuole/vuoi fare questa sera?

Shall we go out this evening? ....Usciamo questa sera?

Where would you like to go? ....Dove vuole/vuoi andare?

Can we go to the cinema?.....................................Andiamo al cinema?

What time shall we meet?.....................................A che ora ci incontriamo?

I'll see you at 8.00 pm...La/Ti incontro alle venti

Where shall we meet?..Dove ci incontriamo?

I'll see you outside the restaurant.......................Ci incontriamo fuori del ristorante

Shall we stay in? ....Restiamo a casa?

Can we hire a video?...Noleggiamo una videocassetta?

Have you seen "Romeo and Juliet"?...................Ha/Hai visto "Romeo e Giulietta"?

Is it out on video?...È uscito in videocassetta?

Shall we go for a drink?......................................Andiamo a bere qualcosa?

I'm paying!...Offro io!

Accepting and refusing

Yes, I'd love to...Sì, mi piacerebbe molto

OK, agreed...Sì, d'accordo

Of course..Naturalmente

Certainly...Certamente

Thank you ....Grazie

It depends ....Dipende

I'm not sure/I don't know ....Non sono sicuro/a/Non so

I must ask my penfriend..Devo chiedere al mio amico di penna

I'm sorry, I can't make it ....Mi dispiace, non ce la faccio

I've got too much homework/I haven't got time ..... Ho troppi compiti/Non ho tempo

Perhaps we could go tomorrow ....Possiamo forse andare domani

Sorry, I'm not free...Mi dispiace, non sono libero/a

Unfortunately, I'm already doing something.......Sfortunatamente sono già impegnato/a

Sorry, I have to babysit for some friends.............Mi dispiace, devo accudire i bambini di amici

At the cinema

How about going to the cinema? ....Perché non andiamo al cinema?

What's on?...(Che) cosa danno?

I've already seen it...L'ho già visto

I'd like to see a comedy/horror movie ....Mi piacerebbe vedere una commedia/un film dell'orrore

Is it the original soundtrack?...............................È in versione originale?

No, it's dubbed ....No, è doppiato

Yes, but there are sub-titles ....Sì, però ci sono i sottotitoli

What time does the last performance start?.........A che ora comincia l'ultimo spettacolo?

How long does it last? ....Quanto tempo dura?

What time does the film end?..............................A che ora finisce il film?

Booking a ticket

Can I book seats?...Posso prenotare i posti?

Are there reductions for students? ....Ci sono riduzioni per studenti?

Can I buy a student ticket?..................................Posso avere un biglietto per studenti?

How much is it in the balcony/stalls?.................Quanto costa in galleria/in platea?

Two tickets for the balcony, please ....Due biglietti in galleria, per favore

Discussing the show

What did you think of the film/play?.................Cosa ne pensa/pensi del film/della commedia?

The film was marvellous/interesting ....Il film era meraviglioso/interessante

The concert was boring/awful............................Il concerto era noioso/terribile

In my opinion it was too long/serious.................Secondo me era troppo lungo/serio

Did you see Nanni Moretti's latest film?............Ha/Hai visto l'ultimo film di Nanni Moretti?

the part played by Johnny Depp.........................la parte interpretata da Johnny Depp

Who is your favourite singer?............................Qual'è il Suo/tuo cantante preferito?

Who is your favourite actor? ....Qual'è il Suo/tuo attore preferito?

Who is your favourite singer?............................Qual'è la Sua/tua cantante preferita?

Who is your favourite actress? ....Qual'è la Sua/tua attrice preferita?

Which band do you like best?............................Quale gruppo preferisci?

My favourite drummer is ... .Il mio batterista preferito è ...

Going to a party

Paul's having a party next week	Paul dà una festa la settimana prossima
What time does it start?	A che ora comincia?
It starts at 9.15	Comincia alle ventuno e quindici
Will you come with me to the party on Friday evening?	Viene/Vieni con me alla festa venerdì sera?
Sorry, I'm going with Michele/Michela	Mi dispiace, vado con Michele/Michela
What shall we take?	Cosa portiamo?
Perhaps some drinks or sweets	Forse delle bevande oppure dei dolci

Going to a disco

Are you going to the disco this evening?	Va/Vai in discoteca questa sera?
Yes, I'd love to	Sì, mi piacerebbe molto
I'll buy the tickets	Compro io i biglietti
Can I bring a friend?	Posso portare un amico/un'amica?
Sorry, but Dad won't let me go out this week	Mi dispiace, ma mio padre non mi lascia uscire questa settimana
Sorry, I'm grounded	Mi dispiace, non ho il permesso di uscire

Going to a pop concert

The group are giving three concerts in Turin	Il gruppo dà tre concerti a Torino
The first concert will take place in September	Il primo concerto avrà luogo in settembre
Where can one buy tickets?	Dove si comprano i biglietti?

Playing/Watching a game

Shall we play tennis?	Giochiamo a tennis?
I'll meet you at the Sports Centre tomorrow evening	La/Ti incontro al Centro Sportivo domani sera
I'm not at all fit	Non sono affatto in forma
We would like to go to a football/rugby match	Vorremmo andare a una partita di calcio/di rugby
Which team do you support?	Per quale squadra fa/fai il tifo?
I support Liverpool	Io sono tifoso/a del Liverpool
What time does the ice-rink open?	A che ora apre la pista di pattinaggio su ghiaccio?
Can one hire skates?	Si possono noleggiare i pattini?
The swimming pool closes at 10.00 pm	La piscina chiude alle ventidue
Would you like to go horse-riding tomorrow afternoon?	Vuole/Vuoi fare equitazione domani pomeriggio?
I'd prefer to go for a walk	Preferisco fare una passeggiata

Problems - Great and Small!

At the doctor's

What is the matter?	Cosa c'è che non va?
I don't feel well	Non mi sento bene
I feel ill	Mi sento male
I've got a headache	Mi fa male la testa

23

I've hurt my back .... Mi sono fatto male alla schiena
He has trapped his fingers .... Si è pizzicato le dita
She has twisted her ankle .... Si è slogata la caviglia
She will have to walk on crutches .... Dovrà camminare con le stampelle
Can you give me something for the pain? .... Può darmi qualcosa per il dolore?
I'm allergic to ... . Sono allergico/a a ...
I've been stung by a bee/wasp/horse fly .... Sono stato punto/a da un'ape/una vespa/un tafano
Here is a prescription for some tablets .... Ecco una ricetta per delle compresse
Take one four times a day, after meals .... Ne prenda una quattro volte al giorno, dopo i pasti
My father has been taken ill .... Mio padre ha avuto un malore
Will you come and see him, please? .... Può venire a visitarlo?
I feel dizzy .... Mi gira la testa
I've been sick .... Ho vomitato
Is this the first time that this has happened? .... È la prima volta che succede?
No, it happens quite often .... No, succede abbastanza spesso
Her ankle is swollen .... La sua caviglia è gonfia
The doctor cannot come .... Il medico non può venire

At the dentist's
May I have an appointment? .... Vorrei un appuntamento, per favore
I have toothache .... Ho mal di denti
I've lost a filling .... Ho perso un'otturazione
Are you going to give me an injection? .... Mi dà un'iniezione?
Pay at reception .... Paghi in ricezione

At the chemist's
Have you something for a cold? .... Ha qualcosa per il raffreddore?
I need some tissues .... Ho bisogno di fazzoletti di carta
Can you recommend an insect repellent cream? ..... Mi può consigliare una crema per repellere insetti?
I have a temperature .... Ho la febbre
I've got blisters on my right foot .... Ho delle vesciche al piede destro
My brother is suffering from sunburn .... Mio fratello ha una scottatura solare
Have you got any after-sun cream? .... Ha delle creme dopo-sole?
I would like some plasters/cotton wool .... Vorrei dei cerotti/del cotone idrofilo
I would like a bottle of cough mixture .... Vorrei una bottiglia di sciroppo per la tosse
A large one or a small one? .... Grande o piccola?
My sister has stomach-ache .... Mia sorella ha mal di stomaco
She has eaten too many peaches .... Ha mangiato troppe pesche
I'm sorry, I don't sell films .... Mi dispiace, non vendo pellicole
You'll have to go to the photographer's .... Deve andare al negozio di foto e ottica
The chemist opens at 9.00 am .... La farmacia apre alle nove
The duty chemist is open on Sunday morning ..... La farmacia di turno è aperta domenica mattina
I advise you to go to the hospital .... Le consiglio di andare in ospedale
It is (not) serious .... (Non) È una cosa seria

24

Accidents

There has been an accident	C'è stato un incidente
Where/When did it happen?	Dove/Quando è successo?
What was the weather like?	Com'era il tempo?
The boy has been run over	Il ragazzo è stato investito
He must be taken to hospital	Deve essere portato in ospedale
We must phone the police/for an ambulance	Dobbiamo telefonare ai Carabinieri/per l'ambulanza
My car/motorbike is damaged	La mia auto/motocicletta è danneggiata
What is your name and address?	Qual'è il Suo nome e indirizzo?
Will you write it down for me?	Può scrivermelo, per favore?
Was he going fast?	Andava veloce?
He wasn't looking where he was going	Non guardava dove stava andando
How did the accident happen?	Com'è successo l'incidente?
I collided with the car	Mi sono scontrato/a con la macchina
Have you got your driving licence?	Ha la patente (di guida)?
Do you want to see my passport?	Vuole vedere il mio passaporto?
Have you got your insurance certificate?	Ha il certificato di assicurazione?
He was badly hurt	È stato ferito gravemente
It wasn't his right of way	Non aveva la precedenza
Where is the first aid kit?	Dov'è la valigetta del pronto soccorso?
Don't move her!	Non muoverla!
Were there any witnesses?	C'erano testimoni?
I saw what happened	Ho visto che cosa è successo
The accident happened at the crossroads	L'incidente è avvenuto all'incrocio
It was the lorry driver's fault	È colpa del camionista
Two people were injured in the accident	Nell'incidente sono state ferite due persone
It wasn't my fault	Non è stata colpa mia
I fell when I was ski-ing	Sono caduto/a mentre stavo sciando
She's fallen in the water	È caduta in acqua
He had left the ball on the stairs	Ha lasciato la palla sulle scale
My brother has burned himself with some matches	Mio fratello si è ustionato con dei fiammiferi
She fell off the horse and broke her arm	È caduta da cavallo e si è rotta un braccio

Minor disasters

I'm sorry, I'm late	Mi spiace, sono in ritardo
I got lost	Mi sono perso/a
The traffic was heavy	C'era traffico pesante
I've lost my contact lenses/my glasses	Ho perso le lenti a contatto/gli occhiali
I've broken a plate/glass/cup	Ho rotto un piatto/un bicchiere/una tazza
I've ripped my pullover	Ho strappato la mia maglia
He has lost his calculator	Ho perso la sua calcolatrice
He dropped a cigarette and burned the carpet	Ha lasciato cadere una sigaretta e ha bruciato il tappeto
He has broken the window glass	Ha rotto il vetro della finestra

I've got oil on my skirt .... Ho una macchia d'olio sulla gonna

Can you clean it for me, please? .... Può pulirmela, per piacere?

The sink is blocked .... Il lavello è bloccato

The washing machine is not working .... La lavatrice non funziona

My watch is broken .... Il mio orologio è rotto

Can you repair it for me? .... Me la può riparare?

Can you come back for it on Saturday? .... Può ripassare a prenderla sabato?

That's not possible, I go home tomorrow .... Non è possibile, vado a casa domani

At the lost property office

I've lost my passport/camera/mobile .... Ho perso il passaporto/la macchina fotografica/
il cellulare

Where have you looked for it? .... Dove l'ha cercato/a?

I've looked in my case/in my room/ .... Ho cercato nella mia valigia/nella camera/
everywhere   dappertutto

Where did you lose your bag? .... Dove ha perso la borsa?

I must have left it on the bus .... Devo averla dimenticata in autobus

When did you lose your umbrella? .... Quando ha perso l'ombrello?

yesterday/last week/this morning .... Ieri/la settimana scorsa/questa mattina

My wallet has been stolen .... Mi hanno rubato il portafoglio

I put my wallet on the counter .... Ho messo il portafoglio sul banco

You'll have to go to the police station .... Deve andare in Commissariato/dai Carabinieri

What does it look like? .... Com'è?

It is black and made of leather .... È in pelle nera

It has got my name in it .... C'è il mio nome (stampato)

It contains 25 euros .... Contiene venticinque euro

Major disasters

The car crashed into the wall/a tree .... L'auto si è sfasciata contro il muro/un albero

There was flooding because of the storms .... Ci sono stati allagamenti a causa dei temporali

There is a smell of burning .... C'è odore di bruciato

I can smell smoke .... Sento odore di fumo

There is a fire near the lift .... C'è un incendio vicino all'ascensore

Ring for the fire brigade .... Telefoni/Telefona ai pompieri

There has been a bomb scare .... C'è stato un falso allarme di bombe

Please leave the building .... Per favore uscite dall'edificio

Can you help me, please? .... Può/Puoi aiutarmi, per piacere?

She has fainted .... È svenuta

He is unconscious .... Ha perso conoscenza

It is an emergency .... È un'emergenza

SECTION 2: GENERAL CONVERSATION

Yourself and your family – short answers

What is your name?	Come ti chiami?
My name is Sue/David	Mi chiamo Sue/David
How old are you?	Quanti anni hai?
I am 15/16	Ho quindici/sedici anni
Have you got any brothers and/or sisters?	Hai fratelli e/o sorelle?
I have a brother and a sister	Ho un fratello e una sorella
No, I am an only child	No, sono figlio/a unico/a
Is he older than you?	È più vecchio di te?
Is she younger than you?	È più giovane di te?
My brother is older. My sister is younger	Mio fratello è più vecchio. Mia sorella è più giovane
What does your brother look like?	Che aspetto ha tuo fratello?
My brother is tall	Mio fratello è alto
He has blond hair and blue eyes	È biondo e ha occhi azzurri
What does your sister look like?	Com'è tua sorella fisicamente?
My sister is small	Mia sorella è bassa
She has brown hair and brown eyes	Ha capelli e occhi castani
What does your father do?	Che cosa fa tuo padre?
He is a teacher. He works in a secondary school	È insegnante. Lavora in una scuola media
What does your mother do?	Che cosa fa tua madre?
She is a social worker	È assistente sociale
My parents are separated/divorced	I miei genitori sono separati/divorziati
My brother is out of work	Mio fratello è disoccupato
My sister is a student	Mia sorella è studentessa
Do you like animals?	Ti piacciono gli animali?
Yes, I like animals	Sì, mi piacciono gli animali
Have you got any animals?	Hai qualche animale?
I've got a dog/a cat/a rabbit	Ho un cane/un gatto/un coniglio
Do you prefer dogs or cats?	Preferisci i cani o i gatti?
I prefer cats/dogs	Preferisco i gatti/i cani
When is your birthday?	Quando è il tuo compleanno?
My birthday is 26th July	Il mio compleanno è il ventisei luglio
In which year were you born?	In quale anno sei nato/a?
I was born in 1989	Sono nato/a nel millenovecentottantanove
What does your little brother do to annoy you?	Cosa fa il tuo fratellino per farti dispetto?
He hides my CDs/my shoes	Nasconde i miei CD/le mie scarpe
When is your father strict?	Quando è severo tuo padre?
When I come home late at night	Quando rientro tardi la sera
When I don't do my homework	Quando non faccio i miei compiti

Yourself and your family – longer answers

1. Mi parli di Lei/Parlami di te
Tell me about yourself

Mi chiamo Mark. Ho quindici anni. Il mio compleanno è il sette novembre. Sono nato nel millenovecentonovanta a Birmingham e ora abito a Manchester. Sono abbastanza alto, ho i capelli biondi lisci e gli occhi grigi. Mi piace moltissimo la musica. Il mio gruppo preferito è … Sono sportivo. Quando sono libero mi piace uscire con i miei amici/le mie amiche o giocare a tennis. Al fine settimana lavoro in un supermercato come commesso.

2. Mi parli della Sua famiglia/Parlami della tua famiglia
Tell me about your family

Ho un fratello che si chiama Andrew. È più vecchio di me. Ha diciannove anni. Il suo compleanno è il ventuno ottobre. Lavora in un ufficio in centro a Birmingham. È alto come me. Siamo entrambi alti 1metro 70. Ha i capelli rossi ricci e gli occhi verdi. È appassionato di arti marziali.
Voglio bene a mio fratello ma a volte mi fa infuriare. È egoista, pigro e lascia sempre tutte le sue cose in giro. Non aiuta mai in casa. Lavo sempre io i piatti e porto a spasso il cane. Non è giusto, mi pare!

Mia sorella si chiama Alex. Ha diciotto anni. È nata il trentuno luglio. Anche lei ha i capelli rossi, ma ha gli occhi grigi. È più bassa di me. È alta 1 metro 60. È studentessa e vorrebbe diventare interprete. Le piace leggere e andare al cinema. Non si interessa di sport. Vado molto d'accordo con mia sorella e spesso usciamo insieme. Quando ho qualche problema con i compiti lei mi aiuta.

Mio padre è veterinario. Lavora a Lichfield. Parte di casa al mattino presto e ritorna verso le sette di sera. Racconta sempre storie buffe sugli animali che cura. La domenica gli piace fare lunghe passeggiate in campagna e lavorare in giardino.

Mia madre è segretaria in uno studio dentistico. Lavora a circa sette chilometri e va al lavoro in bicicletta. Il suo orario è flessibile e qualche volta deve lavorare il sabato mattina. È piccola come mia sorella e ha i capelli castani. Le piace molto viaggiare e collezionare carte telefoniche di tutto il mondo.

3. Mi parli di uno dei Suoi amici/di una delle Sue amiche
Parlami di uno dei tuoi amici/di una delle tue amiche
Tell me about a friend of yours

Ho un'amica che abita vicino a noi. Si chiama Charlotte. È molto simpatica. Ha quindici anni, come me. Il suo compleanno è il sedici agosto. È bruna, ha i capelli lunghi e lisci e gli occhi neri. È alta 1metro 63. È più bassa di me. Suona il flauto e insieme suoniamo nell'orchestra della scuola. Le piace molto ascoltare musica e quando siamo in vacanza andiamo insieme in centro a comprare CD.
Charlotte ha due fratelli gemelli, Matthew e Nathan. Hanno diciotto anni e vanno pazzi per il calcio.
Il padre di Charlotte è proprietario di un ristorante e sua madre è bibliotecaria.
Charlotte ha un cane dalmata che si chiama Tessa e due conigli che si chiamano Smoke e Fluff.

Ho un amico che si chiama Peter. Abita nella casa di fronte alla mia. È alto 1m 80, e ha i capelli neri ricci e gli occhi azzurri. Ha sedici anni. Il suo compleanno è il 18 maggio. Andiamo a scuola insieme in autobus tutti i giorni e usciamo con altri amici al fine settimana. Di solito andiamo alla partita di calcio o in piscina. A Peter piace giocare a cricket e ascoltare la musica. Ama il jazz e ha moltissime CD. Sua sorella si chiama Stephanie. Ha dodici anni e va pazza per gli animali. Hanno due gatti, un cane, due criceti , un porcellino d'India e un pappagallo. La loro madre è farmacista ed è separata.

4.   **Mi parli dei Suoi animali**
         Parlami dei tuoi animali
         Tell me about your pets

Adoro gli animali, soprattutto i cani e i gatti. Noi abbiamo un cane, Mop. È un cane pastore e ha sei anni. Mop ha il pelo lungo e devo spazzolarlo tutti i giorni. Mangia moltissimo e deve fare molto moto. Io lo porto a spasso tutti i giorni prima di andare a scuola. Gli piace correre dietro a un pallone e abbaia felice quando vede altri cani nel parco. Ho anche due gatti: uno si chiama Tiger ed è bianco e nero. Ha quattro anni e gli piace dare la caccia agli uccelli in giardino. La gatta, Smudge, è più vecchia: ha sette anni ed è tutta grigia con le zampe nere. È molto affettuosa e fa le fusa quando l'accarezzo. Mi piacerebbe moltissimo avere anche dei conigli o dei porcellini d'India, ma mia madre dice che ci sono già troppi animali in casa!

Your home – short answers

Where do you live? ....Dove abita/abiti?

I live in Malvern...Abito a Malvern

How long have you lived there? ....Da quanto tempo ci abita/abiti?

I have lived there for thirteen years.....................Ci abito da tredici anni

Where did you live before coming to Malvern? ...... Dove abitava/abitavi prima di venire a Malvern?

I lived in York before coming to Malvern ....Prima di venire a Malvern abitavo a York

Do you live near school?.....................................Abita/abiti vicino alla scuola?

I live two kilometres from school ....Abito a due chilometri dalla scuola

What sort of a house do you live in?....................In che tipo di casa abita/abiti?

I live in a semi-detached house ....Abito in una casa bifamiliare
       in the suburbs   in una zona residenziale

I live in a detached house in a small village ....Abito in una casa monofamiliare in un paesino

I live in a flat in the centre of town ....Abito in un alloggio in centro

Is your house old or modern?...............................La Sua/tua casa è vecchia o moderna?

My house is (quite) old/modern ....La mia casa è (piuttosto) vecchia/moderna

How many bedrooms are there in your house?....Quante camere da letto ci sono nella Sua/tua casa?

There are four..Ce ne sono quattro

And how many other rooms?...............................E quante altre stanze avete?

There are four - the dining room, the kitchen, ...Ce ne sono quattro: la sala da pranzo, la cucina,
      the living room and the bathroom   il soggiorno e la sala da bagno

Have you got a garden?.......................................Ha/Hai un giardino?

Yes, I have a big garden......................................Sì, ho un grande giardino

Have you got your own bedroom? ....Ha/Hai una camera da letto tua?

Yes, I have my own room. ....Sì, ho una camera da letto tutta per me

No, I share with my sister/brother.......................No, divido la camera con mio fratello/mia sorella

What furniture do you have in your bedroom?....Che mobili ha/hai nella Sua/tua camera?

In my bedroom there is a wardrobe, ...Nella mia camera da letto c'è un armadio,
    a table with a computer/a television,   una scrivania con l'ordinatore/il televisore,
    a chair and a bed   una sedia e un letto

Your home – longer answers

1.   **Descriva la Sua casa e il Suo giardino**
      Descrivi la tua casa e il tuo giardino
      Describe your house and garden

La mia casa è piuttosto grande. È una casa moderna in mattoni. È situata in periferia, a quattro chilometri dal centro. Di fronte alla nostra casa c'è un giardino pubblico dove ogni giorno portiamo a spasso il cane. Quando ero piccolo/a mi piaceva molto andare a giocare al giardino. La mia casa è composta di un soggiorno, una sala da pranzo e una cucina al piano terreno. Il soggiorno è abbastanza grande e dà sul giardino posteriore. Nel soggiorno ci sono tre comode poltrone, un divano di pelle, un tavolino basso, scaffali per libri e oggetti vari, un portariviste e, naturalmente, l'impianto hi-fi. Al primo piano ci sono tre camere da letto, una per i miei genitori, una per mia sorella e una per me. Ci sono anche due sale da bagno. Il garage è di fianco alla casa. Il giardino posteriore è molto grande. Ci sono alberi, fiori, un prato e una serra. In estate, quando fa bello, passiamo molto tempo in giardino. Mio padre ama lavorare in giardino. Io taglio l'erba.

2.   **Descriva la Sua camera da letto**
      Descrivi la tua camera da letto
      Describe your room

La mia camera è al primo piano e dà sul giardino. La camera è tutta per me. È abbastanza grande. Le pareti sono gialle e le tende sono blu. La moquette è grigia. Nella mia camera c'è un letto, un armadio, una scrivania con il mio ordinatore, il televisore e una sedia. Ho molti libri e CD. Alle pareti ho molti manifesti carini. Mi piace ascoltare musica nella mia camera. Quando vengono i miei amici/le mie amiche, andiamo sempre in camera mia per parlare, ascoltare musica o guardare la televisione.

Geography – short answers

Where is Malvern?...Dove si trova Malvern?

Malvern is in Worcestershire,.............................Malvern è nel Worcestershire,
    in the centre of England   al centro dell'Inghilterra

How many inhabitants are there?........................Quanti abitanti ci sono?

There are about 36 000 inhabitants.....................Ci sono trentaseimila abitanti circa

What is there to see in Malvern? ....Cosa c'è da vedere a Malvern?

There are the hills, the Priory and a park.............Ci sono le colline, la Prioria e un parco

Malvern is a Victorian spa town..........................Malvern è una stazione termale vittoriana

What is there to do in Malvern? ....Cosa si può fare a Malvern?

One can go to the theatre/cinema/.......................Si può andare a teatro/al cinema/
    swimming pool or walk on the hills   in piscina/a passeggiare in collina

Is Malvern an industrial town? ....Malvern è una città industriale?

Malvern is a tourist town ....Malvern è un centro turistico

What industries are there in the town?..............Che industrie ci sono?

There are some factories in the town - a ....Ci sono alcune fabbriche in città, una fabbrica
   sports car factory and some light industry   di auto sportive e alcune industrie leggere

What sports facilities are there?..........................Che attrezzature sportive ci sono?

There is a swimming pool, a tennis club..............C'è una piscina, un circolo di tennis
   and a football club   e un club di calcio

Are there any interesting places to see................Ci sono dei posti interessanti da vedere
   around Malvern?   nei dintorni di Malvern?

There are the hills and the city of Worcester ....Ci sono le colline e la città di Worcester

Geography – longer answers

1.   **Descriva la Sua città e i suoi dintorni**
     Descrivi la tua città e i suoi dintorni
     Describe your home town and its surroundings

Malvern si trova nel Worcestershire, nell'Inghilterra centrale. Ha circa trentaseimila abitanti. Malvern è una stazione termale vittoriana. È un centro turistico. In estate, quando fa bello, molti turisti vengono a fare lunghe camminate sulle colline circostanti. A Malvern ci sono molti collegi e molte chiese. C'è una piscina, un cinema, un teatro e un piccolo museo in centro città. Ci sono anche alcune fabbriche, compresa quella dove si fabbricano auto sportive. In centro non ci sono molti grandi magazzini. Per una scelta di grandi magazzini è necessario andare a Worcester, che si trova a una quindicina di chilometri da Malvern.

Birmingham è la seconda città d'Inghilterra. È diventata un centro industriale molto importante nell'Ottocento. Birmingham ha un aeroporto internazionale, molti teatri, delle gallerie d'arte e delle sale da concerto. A Birmingham ci sono tre università e due squadre di calcio.
È anche una grande città multiculturale. Si trovano persone che arrivano da tutte le parti del mondo. In centro città ci sono molti grandi magazzini dove si possono comprare articoli di abbigliamento, calzature, libri e giochi elettronici. È molto divertente passeggiare in centro con i miei amici/le mie amiche il sabato.

2.   **Cosa ne pensa/pensi della zona in cui abita/abiti?**
     What do you think of the area in which you live?

Mi piace molto la città in cui abito perché offre molte possibilità: in centro ci sono molti grandi magazzini e dei cinema. Si può andare a vedere dei bei film, andare a ballare in discoteca e girare per i negozi con gli amici. C'è un buon servizio di autobus. Posso uscire senza chiedere ai miei genitori di accompagnarmi in macchina. Al fine settimana si può praticare uno sport: c'è una piscina, una pista di pattinaggio e un grande centro sportivo.

Non mi piace la città dove abito perché non offre nulla agli adolescenti. Ci sono pochi negozi. C'è un solo cinema e non danno mai film che ci possono interessare. Non c'è né piscina né centro sportivo. Non ci sono che due autobus la mattina e due al pomeriggio. Se devo uscire devo andare a piedi o in bicicletta, oppure devo chiedere ai miei genitori di accompagnarmi in auto. Non è molto pratico. Sarebbe bello avere dei grandi magazzini, un centro sportivo e dei caffè simpatici dove si può andare con gli amici/le amiche.

3.　　**Vivere in città o in campagna. Quale preferisce/preferisci e perché?**
　　　Living in the town or the country – Which do you prefer, and why?

Preferisco abitare in città. Ci sono sempre degli svaghi. Si può uscire facilmente la sera. *(Insert name of your town)* è un centro culturale e ci sono anche impianti sportivi e palestre per chi ama praticare uno sport. Nel centro commerciale ci sono molti grandi magazzini e ristoranti. Nelle zone pedonali si può passeggiare lontani dal traffico. Per muoversi in città e fuori città ci sono treni e autobus. La vita in città è piacevole.

Io preferisco abitare in campagna. La vita in campagna è più calma e l'aria è meno inquinata. Si possono fare lunghe passeggiate lungo il fiume. Si può andare a fare lunghi giri in bicicletta. In un piccolo centro tutti si conoscono. Credo che in una grande città una persona si può sentire sola. In campagna il traffico non è un problema. Certo, ci sono alcuni inconvenienti. Se non si ha la macchina può essere difficile andare in città. Non ci sono né cinema né associazioni giovanili.

Daily routine – short answers

What time do you get up?.....................A che ora ti alzi?
I get up at 7.00.....................................Mi alzo alle sette
What time do you have breakfast?.......................A che ora fai colazione?
I have breakfast at 8.15...............................Faccio colazione alle otto e un quarto
What do you usually have for breakfast?.............Che cosa mangi per colazione?
I usually have toast and cereal for breakfast........Normalmente per colazione mangio pane tostato e cereali
I don't have breakfast ....Non faccio colazione

What time do you leave home? ....A che ora parti da casa?
I leave home at 8.30...Parto da casa alle otto e mezzo
What time do you arrive at school? ....A che ora arrivi a scuola?
I arrive at school at 8.45.....................................Arrivo a scuola alle otto e quarantacinque
How do you come to school?...............................Come vieni a scuola?
I come to school by bus/car/bike ....Vengo a scuola in bus/in auto/in bicicletta
I walk to school..Vengo a scuola a piedi

When do lessons start? ....A che ora cominciano le lezioni?
Lessons start at 9.00...Le lezioni cominciano alle nove
How long are the lessons in your school?...........Quanto durano le lezioni nella Sua/tua scuola?
They last one hour five minutes.........................Durano un'ora e cinque minuti
What do you do during break?............................Che cosa fai durante l'intervallo?
I talk to my friends during break........................Durante l'intervallo chiacchiero con i compagni
When is your lunch time?...................................A che ora mangiate?
Lunch time is at 12.30 ....Mangiamo a mezzogiorno e mezza
Do you eat in the canteen at midday? ....Mangiate in refettorio all'ora di pranzo?
Yes, I eat in the canteen at midday ....Sì, all'ora di pranzo mangio in refettorio
What do you eat at lunch time? ....Che cosa mangi a pranzo?
I eat sandwiches at midday ....A mezzogiorno mangio dei panini

When does school end?..A che ora finisce la scuola?

School ends at 3.40 ....La scuola finisce alle quindici e quaranta

What time do you get home? ....A che ora rincasi?

I get home at 4.10..Rincaso alle sedici e dieci

What time do you have your evening meal?........A che ora mangi la sera?

I have my evening meal at six o' clock................La sera mangio alle diciotto

What do you eat in the evening?.........................Che cosa mangi la sera?

In the evening I have soup, meat,.......................A cena mangio minestra, carne,
    vegetables and ice cream   verdure e del gelato

What is your favourite food? ....Qual'è il tuo piatto preferito?

My favourite food is … ....Il mio piatto preferito è …

Is there anything you don't like?........................C'è qualcosa che non ti piace?

I don't like carrots...Non mi piacciono le carote

What do you do in the evening? ....Che cosa fai la sera?

I do my homework and listen to music in the evening ....La sera faccio i compiti e ascolto la musica

Do you help your mother/father prepare the meal? ...Aiuti tuo padre/tua madre a preparare la cena?

No, but I have to do the washing up ....No, ma devo lavare i piatti

Do you watch TV in the evening? ....Guardi la televisione la sera?

Yes, sometimes ....Sì, qualche volta

What time do you go to bed? ....A che ora vai a letto?

I go to bed at 10.30 ....Vado a letto alle ventidue

What do you do to help in the house?.................Che cosa fai quando aiuti in casa?

I have to tidy my room ....Devo tenere in ordine la mia camera

Saturday jobs

Do you have a Saturday job? ....Hai un lavoretto il sabato?

Yes, I work on Saturday morning ....Sì, lavoro il sabato mattina

Where do you work?..Dove lavori?

I work in a shop/restaurant................................Lavoro in un negozio/un ristorante

What is your job?..Che cosa fai?

I am a sales assistant ....Faccio il commesso/la commessa

I work in a supermarket ....Lavoro in un supermercato

I do babysitting...Bado ai bambini/Accudisco i bambini

I am saving up for … ....Sto risparmiando soldi per …

I prefer to earn money.......................................Preferisco guadagnare soldi

I would like to buy a computer ....Vorrei comprare un ordinatore

No, I can't work Saturdays, I am in school..........No, non posso lavorare il sabato, sono a scuola

Who does what?

I like walking the dog when it is fine...................	Mi piace portare a spasso il cane quando fa bello
I hate washing up. It's a boring job.....................	Detesto lavare i piatti. È un lavoro noioso
I prefer ironing. I listen to music while I work	Preferisco stirare. Ascolto la musica mentre lavoro
My brother never washes up. It's not fair!...........	Mio fratello non lava mai i piatti. Non è giusto!
My sister never walks the dog	Mia sorella non porta mai a spasso il cane
when it's raining	quando piove
I always have to wash the car and mow the lawn	Devo sempre lavare la macchina e tosare il prato

Daily routine – past tense

What did you watch on TV last night?	Che cosa hai visto alla televisione ieri sera?
I watched some cartoons....................................	Ho visto dei cartoni animati
What did you do to help your mother?	Che cosa hai fatto per aiutare tua madre?
I walked the dog and went shopping	Ho portato a spasso il cane e sono andato/a a fare la spesa
What did you have for breakfast this morning?...	Che cosa hai mangiato a colazione questa mattina?
I had toast and tea	Ho mangiato del pane tostato e ho bevuto del tè
How did you come to school this morning?	Come sei venuto/a a scuola questa mattina?
I walked	Sono venuto/a a piedi

Daily routine – future tense

What are you going to do this evening?	Che cosa farai questa sera?
I'll do my home work and watch TV..................	Farò i compiti e guarderò la televisione
What are you going to watch on TV this evening?....	Cosa guarderai alla televisione questa sera?
I am going to watch *The Bill*...............................	Guarderò *The Bill*
What will you have for lunch?...........................	Che cosa mangerai a pranzo?
I will have sandwiches for lunch	Per pranzo mangerò dei panini
What will you have this evening?.......................	Cosa mangerai questa sera?
We will have chicken, chips and peas	Mangeremo pollo, patatine fritte e piselli
What will you be doing at the weekend?.............	Cosa farai al fine settimana?
I will go out with my friends	Uscirò con i miei amici/le mie amiche

Daily routine – longer answers

1.   **Descrivi una tipica giornata feriale**
       Describe a typical weekday

Mi alzo alle sette e trenta, faccio la doccia poi mi vesto, mi pettino e scendo a fare colazione. Mi lavo i denti poi esco e prendo la macchina per venire in istituto. Arrivo alle nove meno dieci. Le lezioni cominciano alle nove. Abbiamo tre lezioni la mattina - due prima dell'intervallo e una dopo l'intervallo.

A mezzogiorno mangio dei panini. Nel pomeriggio abbiamo tre lezioni e la scuola finisce alle quattro meno un quarto. Rincaso, guardo la televisione e faccio i compiti. Alle diciotto mangiamo. Qualche volta esco con i miei amici/le mie amiche. Vado a letto alle ventitre.

2. **Che cosa hai fatto questa mattina prima di venire a scuola?**
What did you do before coming to school this morning?

Mi sono svegliato/a alle sette e un quarto. Mi sono alzato/a alle sette e mezza e ho fatto la doccia. Dopo mi sono pettinato/a, mi sono vestito/a e sono sceso/a in cucina per fare colazione. Anche i miei genitori facevano colazione. Ho mangiato del pane tostato e ho bevuto un caffè. Mio padre è uscito alle otto. Io mi sono lavato/a i denti, ho messo i miei libri e quaderni nello zainetto e sono uscito/a alle otto e dieci. Sono andato/a a piedi alla fermata del bus. Il bus è arrivato alle nove meno venticinque. Sono arrivato/a a scuola alle nove meno dieci.

3. **Descrivi un tipico fine settimana**
Describe a typical weekend

Il sabato mattina mi alzo alle sette e mezza come al solito perché lavoro alla cassa in un supermercato e devo arrivare alle otto e trenta. Lavoro tutta la mattina e finisco all'una. Ritorno a casa, mangio un panino poi mi metto i jeans per uscire con gli amici/le amiche. Qualche volta andiamo alla partita, altrimenti andiamo in città a guardare le vetrine. La sera andiamo al cinema o a una festa. Rincasiamo tardi. Domenica mattina dormo fino a tardi! Mi alzo verso mezzogiorno, guardo la televisione o un film su videocassetta e la sera faccio i compiti.

Frequento un collegio privato come interno/a, quindi normalmente sono a scuola durante il fine settimana. Il sabato mattina mi alzo alle sette e trenta come al solito, mi lavo, mi pettino e mi vesto poi vado a fare colazione. La mattina abbiamo lezioni e nel pomeriggio facciamo attività sportive. La sera guardiamo la televisione o ascoltiamo la musica. Qualche volta abbiamo il permesso di uscire e andare in città. La domenica ci svegliamo più tardi. La mattina si va in chiesa e poi si mangia. Nel pomeriggio possiamo andare in città. Spesso visito le amiche/gli amici che sono interni in un altro collegio. La sera si fa sport, si legge, si gioca a carte. Non mi lamento, ma non è sempre divertente. A volte possiamo ritornare a casa per il fine settimana.

School – short answers

How many pupils are there in your school/ in your class?	Quanti allievi ci sono nella tua scuola/ classe?
There are 1400 pupils in the school/ 27 pupils in my class	Ci sono millequattrocento allievi nella scuola/ ventisette allievi nella mia classe
Do you wear school uniform?	Indossi l'uniforme scolastica?
Do you like your uniform?	Ti piace la tua uniforme?
No, I do not like my school uniform	No, non mi piace la mia uniforme
Yes, I do like my school uniform	Sì, mi piace la mia uniforme
Which subjects do you do?	Quali materie studi?
I do English, Maths, Italian, German, Science, Art, History, Geography, ICT and Technology	Studio inglese, matematica, italiano, tedesco, scienze, arte, storia, geografia, informatica e scienze tecnologiche
What is your favourite subject?	Qual'è la tua materia preferita?
My favourite subject is Italian	La mia materia preferita è l'italiano
Why?	Perché?
because it's interesting	perché è interessante
because the teacher is nice	perché l'insegnante è simpatico/a

I get good marks	Ho dei bei voti
Which subject don't you like?	Quali materie non ti piacciono?
I don't like Chemistry	Non mi piace la chimica
Which subjects are you good at?	In quali materie sei forte?
I am good at English	Sono forte in inglese
Which is your worst subject?	Qual'è la tua materia peggiore?
I'm very bad at Physics	Sono un disastro in fisica
Are you in a school team?	Fai parte di una squadra della scuola?
I play in the school hockey/rugby team	Gioco nella squadra di hockey/rugby
Which sport do you prefer?	Quale sport preferisci?
I prefer tennis	Preferisco il tennis
Are you in the orchestra/choir/band?	Suoni nell'orchestra/nella banda/canti nel coro?
I sing in the choir	Canto nel coro
What do you like about school life?	Che cosa ti piace della vita a scuola?
I like being with my friends and I like sport	Mi piace stare con gli amici e mi piacciono gli sport
What do you dislike about school life?	Cosa non ti piace della scuola?
I don't like some lessons	Non mi piacciono alcune lezioni
I don't like the uniform	Non mi piace l'uniforme
What irritates you in school?	Che cosa ti irrita a scuola?
Wearing a school uniform irritates me	È scocciante indossare la divisa scolastica
What bores you in school?	Che cosa trovi noioso a scuola?
Some of the school rules bore me	Alcuni regolamenti della scuola sono noiosi

School – past tense

Have you ever been on an exchange?	Hai mai partecipato a uno scambio internazionale?
I went on an exchange to Italy last year	L'anno scorso ho partecipato a uno scambio in Italia
I went to Germany two years ago	Sono stato/a in Germania due anni fa
Where did you go?	Dove sei andato/a?
I went to Venice/Frankfurt	Sono andato/a a Venezia/Francoforte
How long were you in Italy/Germany?	Quanto tempo sei rimasto/a in Italia/Germania?
We spent ten days there	Ci siamo rimasti(e) dieci giorni
What did you do there?	Che cosa avete fatto durante il soggiorno?
We visited the city	Abbiamo visitato la città
We went on some trips	Abbiamo fatto delle escursioni
We went to school with our penfriends	Siamo andati(e) a scuola con i nostri amici di penna
What did you think of the exchange?	Che cosa ne pensi dello scambio?
I had a good time	Mi sono divertito/a
I would like to go back there	Vorrei ritornarci
My Italian/German family was very nice	La mia famiglia italiana/tedesca era molto simpatica
I liked the Italian food	Mi è piaciuta la cucina italiana
I did not like German food	Non mi è piaciuta la cucina tedesca
The visit was too long	La visita è stata troppo lunga
I missed my family	Mi è mancata la mia famiglia

What did you do at school yesterday?................Che cosa hai fatto a scuola ieri?

I did history, geography and maths.....................Ho fatto storia, geografia e matematica

What time did you get to school yesterday?........A che ora sei arrivato/a scuola ieri?

I was late..Sono arrivato/a in ritardo

School and future plans – future tense

What lessons have you got tomorrow?...............Che lezioni avrai domani?

I have Italian, English and biology......................Avrò italiano, inglese e biologia

What will you do tomorrow after school?...........Cosa farai domani dopo la scuola?

I'll go to an orchestra rehearsal...........................Farò una prova d'orchestra

What are you going to do after the exams?.........Che cosa farai dopo gli esami?

I shall work for a few weeks, ...Lavorerò per qualche settimana,
    then go on holiday   poi andrò in vacanza

What will you be doing next year? ....Che cosa farai l'anno prossimo?

Will you be coming back to school?...................Ritornerai a scuola?

I think I shall be coming back.............................Penso di sì

That will depend on my exam results ....Dipenderà dal risultato degli esami

No, I'm leaving school..No, lascerò la scuola

If I pass my exams, I shall do A Levels ....Se sono promosso/a andrò al Liceo

Where will you be going?....................................Dove andrai?

I shall go to the 6th form college ....Andrò al Liceo

Will you be taking A levels?...............................Farai la maturità

Yes, I am going to do A levels............................Sì, farò la maturità

Which subjects are you planning to do? ....Che materie studierai?

I would like to do Italian, maths and music ....Vorrei fare italiano, matematica e musica

No, I prefer to do a vocational course.................No, preferisco sequire un corso pratico

What will you do when you have left school?.....Che cosa farai quando lascerai la scuola?

Will you be going to university?..........................Andrai all'università?

I hope to go to university ....Spero di andare all'università

Will you do an apprenticeship?...........................Farai un apprendistato?

Yes, I am going to do an apprenticeship.............Sì, voglio fare l'apprendista

I shall be an apprentice in an engineering works .Farò l'apprendista in un' officina meccanica

Will you start work/a job? ....Comincerai a lavorare?

Yes, I am going to work in my father's office .....Sì, lavorerò nell'ufficio di mio padre

What sort of job would you like to get?..............Che tipo di lavoro vorresti fare?

I would like to be a primary school teacher.........Vorrei diventare un insegnante elementare
    because I'd like to work with children   perché mi piacciono i bambini

I'd like to be a pilot because ....Mi piacerebbe fare il pilota perché
    I'd like to travel   mi piace viaggiare

I'd like to be a hairdresser..................................Vorrei fare il parrucchiere/la parrucchiera

School – longer answers

1.　Parlami della tua scuola e della tua divisa scolastica
　　Tell me about your school and the uniform

Il mio istituto si trova a tre chilometri dal centro. È un grande edificio in mattoni rossi costruito negli anni Cinquanta. Ci sono molte aule, laboratori e atelier. Ci sono dei campi di calcio, dei campi di rugby e di hockey e una grande palestra, ma sfortunatamente non c'è piscina. Il nostro istituto ha circa millecinquecento allievi e ottanta professori.

Siamo obbligati a portare la divisa scolastica. Le ragazze indossano una gonna blu marino e una camicetta bianca, una maglia blu marino, una cravatta blu marino e gialla e delle scarpe nere. I ragazzi indossano pantaloni grigi e una camicia bianca con una cravatta blu marino e gialla e maglia blu marino. Devo dire che non amo molto la divisa perché i colori sono deprimenti, però è pratica.

2.　Parlami del tuo orario scolastico
　　Tell me about your timetable

Ho trenta ore di lezioni alla settimana. Ci sono sei lezioni al giorno - due prima dell'intervallo e una dopo e tre lezioni nel pomeriggio. Le lezioni cominciano alle nove e la scuola finisce alle sedici. Io studio inglese, matematica, francese, tedesco, geografia, scienze, informatica e scienze tecnologiche. Mi piacciono molto le scienze e l'informatica e sono bravo/a in inglese. In matematica e in tedesco vado abbastanza bene ma trovo il francese molto difficile. Mi interessano le scienze tecnologiche ma sono un disastro in geografia. Gioco a tennis e mi piace fare ginnastica ma non mi piace giocare a hockey in inverno quando piove e fa freddo.

3.　Raccontami che cosa fai quando finisci la scuola
　　Tell me what you do after school

Mi piace praticare uno sport e la domenica pomeriggio gioco in una squadra di calcio/hockey. Il martedì canto in un coro e il giovedì vado in piscina con i miei amici/le mie amiche. Il sabato lavoro. Sono commesso/a in un grande magazzino in centro (città). Il sabato sera esco con gli amici. Andiamo al cinema o in discoteca. Se non abbiamo abbastanza soldi restiamo a casa e guardiamo la tivù o ascoltiamo la musica.

4.　Dimmi quale sport preferisci e perché.
　　Tell me which sport you prefer and give your reasons

Mi piace molto giocare a tennis. È un gioco appassionante. Essere in forma è molto importante per la salute. Sono socio/a di una palestra e incontro lì gli amici ogni volta che ci vado. Sovente al fine settimana vado in altri club per seguire altre partite. Incontro molta gente. Mi piace seguire il tennis alla televisione perché si può imparare molto guardando giocare dei professionisti.

5.　Dimmi che cosa intendi fare in futuro
　　Tell me what you plan to do in the future

L'anno prossimo mi piacerebbe cominciare a preparare la maturità. Vorrei studiare scienze naturali perché la biologia è molto interessante. Forse potrei andare all'università e poi fare ricerca alla fine della laurea. La ricerca scientifica è molto importante per la medicina e per il progresso umano in generale.

Free time and hobbies – short answers

What do you do when you have some free time? Che cosa fa/fai quando ha/hai un pò di tempo libero?

I go out with my friends .... Esco con i miei amici/le mie amiche

What do you do at weekends? .... Come passa/passi il fine settimana?

I play football/watch TV .... Gioco a calcio/guardo la televisione

Where do you go with your friends at weekends? ..... Dove va/vai al fine settimana con gli amici?

I go to a cinema/disco/the youth club .... Vado al cinema/in discoteca/ al circolo giovanile

Do you like sport? .... Le/Ti piace lo sport?

Yes, I like sport very much .... Sì, lo sport mi piace moltissimo

Which is your favourite sport? .... Qual'è il Suo/tuo sport preferito?

I like tennis/rugby .... Mi piace il tennis, il rugby

Where/When do you play? .... Dove/quando gioca/giochi?

I play on Saturday afternoon .... Gioco il sabato pomeriggio

Are you a member of a club? .... Appartiene/appartieni a un club sportivo?

Yes, I belong to a tennis club .... Sì, appartengo al circolo di tennis

Are you interested in music? .... Le/Ti interessa la musica?

Yes, music is very important to me .... Sì, la musica mi appassiona

What type of music do you like? .... Che tipo di musica Le/ti piace?

I prefer classical music .... Preferisco la musica classica

Have you got a favourite band? .... Ha/Hai un gruppo preferito?

No, I haven't got a favourite band .... No, non ho un gruppo preferito

Do you play an instrument? .... Suona/Suoni uno strumento?

Yes, I play the violin/the clarinet .... Sì, suono il violino/il clarinetto

How long have you been playing the clarinet? .... Da quanto tempo suona/suoni il clarinetto?

I have been playing the clarinet for four years ..... Suono il clarinetto da quattro anni

Do you watch much TV at weekends? .... Guarda/Guardi molto la televisione al fine settimana?

No, I don't watch TV very often .... No, non guardo la televisione molto spesso

It depends .... Dipende

Which type of programme do you like? .... Che tipo di programmi Le/ti piace?

I like documentaries/cartoons/soaps .... Mi piacciono i documentari/i cartoni animati/ gli sceneggiati

Which type of programme do you not like? .... Che tipo di programmi non Le/ti piace?

I don't like the news .... Non mi piacciono i telegiornali

Do you like going to the cinema? .... Le/Ti piace andare al cinema?

Yes, I like going to the cinema sometimes .... Sì, mi piace andare al cinema qualche volta

How often do you go to the cinema? .... Va/Vai al cinema spesso?

Two or three times a year .... Due o tre volte all'anno

Which type of film do you like best? .... Che tipo di film preferisce/preferisci?

I like science fiction .... Mi piacciono i film di fantascienza

Do you like reading? .... Le/Ti piace leggere?

Yes, I like reading .... Sì, mi piace leggere

What type of books do you like?	Che tipo di libri Le/ti piace leggere?
I like detective stories	Mi piacciono i libri gialli
Do you collect CDs/stickers?	Colleziona/Collezioni CD/adesivi
Yes, I collect CDs	Sì, faccio collezione di CD
Have you got a computer?	Ha/Hai un ordinatore?
Yes, I've got a computer at home	Sì, ho un ordinatore a casa
Do you like computer games?	Le/Ti piacciono i videogiochi?
Yes, I've got a lot of computer games	Sì, ho molti videogiochi

Are you interested in fashion?	Le/Ti interessa la moda?
Yes, I am very interested in fashion	Sì, la moda mi interessa molto
Do you like window shopping?	Le/Ti piace guardare le vetrine?
Yes, I like window shopping with my friends	Sì, mi piace guardare le vetrine con i miei amici
Which shops do you like looking round?	In quali negozi Le/ti piace fare un giro?
I like looking around music/book shops	Mi piace girare per i negozi di musica/libri
Are you going out this evening?	Esci questa sera?
No, my mother won't let me go out in the week	No, mia madre non mi lascia uscire durante la settimana

Free time and hobbies – past tense

What did you do last Saturday?	Che cosa ha/hai fatto sabato scorso?
I went to the cinema	Sono andato/a al cinema
What did you think of the film?	Che cosa ne pensa/pensi del film?
I thought it was good	Penso che era un buon film
The actors were superb	Gli attori erano bravissimi
The film was too long	Il film era troppo lungo
The actors were poor	Gli attori erano mediocri
Where did you see it?	Dove l'ha/hai visto?
I went to a cinema in Birmingham	Sono andato al cinema a Birmingham
When did you see it?	Quando l'ha/hai visto?
I saw it a month ago	L'ho visto un mese fa
Is it out on DVD?	È uscito in DVD?
What did you do last night?	Che cosa ha/hai fatto ieri sera?
I stayed at home	Sono rimasto/a a casa
What did you see on TV last night?	Che cosa ha/hai visto alla televisione ieri sera?
I did not watch TV	Non ho guardato la televisione
What did you buy last Saturday?	Che cosa ha/hai comprato sabato scorso?
I bought a birthday present for my father	Ho comprato un regalo per il compleanno di mio padre

Free time and hobbies – future tense

What are you going to do at the weekend?	Che cosa farà/farai al fine settinana?
I am going to see my cousins in Parma	Andrò dai miei cugini a Parma
I am going to play rugby	Giocherò a rugby
I shall be working in the supermarket	Lavorerò al supermercato

Free time and hobbies – longer answers

1. Dimmi che tipo di film preferisci

Tell me what sort of film you like

Preferisco i film dell'orrore perché mi piace vedere i mostri e gli effetti speciali quando sono fatti molto bene. Se sono con amici è divertente osservarli durante le scene più terrificanti per vedere se hanno paura. Mi piacciono anche i film di fantascienza perché mi entusiasmano i razzi e i viaggi nello spazio.

2. Mi dica che tipo di programmi televisivi preferisce e perché Le piacciono

Dimmi che tipo di programmi televisivi preferisci e perché ti piacciono

Tell me what type of programme you like watching on television and say why

Mi piace guardare i programmi di storia naturale perché mi affascinano gli animali selvatici e gli uccelli, specialmente le speci in pericolo di estinzione. È bellissimo osservarli nel loro habitat naturale ma non mi piace vederli allo zoo. Mi piace anche vedere piante esotiche e fiori - i colori sono talmente belli. La televisione ci permette di vedere tutte queste cose meravigliose.

3. Cosa ne pensa/pensi della pubblicità televisiva?

What do you think of television adverts?

La pubblicità televisiva è irritante. Qualche volta è abbastanza divertente, ma normalmente è abbastanza stupida. È una perdita di tempo. Le trasmissioni sono interrotte troppo sovente dalla pubblicità e non si può vedere un film senza una dozzina di interruzioni. Detesto particolarmente la pubblicità per auto. Quando comincia uno spot pubblicitario io vado a farmi un caffè!

4. Che cosa fa/fai per essere in forma?

What do you do to get fit?

Penso che lo sport sia molto importante per la salute. Se si vuole essere in forma bisogna fare dello sport. Si può scegliere un'attività sportiva individuale, ad esempio il nuoto o il jogging. Si può anche praticare uno sport con un'altra persona, ad esempio giocare a tennis oppure iscriversi a una palestra. Le attività sportive di squadra come il calcio sono anche eccellenti per la salute e in più ci si diverte con i compagni di squadra.

Io non fumo e faccio attenzione a quello che mangio. Mangio pasta, riso, cereali e molta verdura e frutta. Bevo acqua naturale e succhi di frutta. Come carne preferisco il pollo e non mangio né salciccie, né hamburger, né roba fritta. Mangio pochissimo formaggio e cerco di evitare i dolci. Non è sempre facile perché mi piacciono moltissimo i formaggi e le torte di cioccolata!

Shopping – short answers

Do you like going shopping?	Le/Ti piace andare a fare acquisti?
Yes, I like shopping for clothes/music	Sì mi piace comprare articoli di abbigliamento/musica
I prefer shopping for food	Preferisco fare la spesa
I don't like going to the supermarket	Non mi piace andare al supermercato
When do you go shopping?	Quando va/vai a fare acquisti?
I go shopping on Saturday afternoon	Vado a fare acquisti il sabato pomeriggio

Who do you go shopping with? ....Con chi va/vai a fare acquisti?

I like going with my friends ....Mi piace andare con i miei amici

They tell me what they think ....Mi danno il loro parere

I don't like going with my mother ....Non mi piace andare con mia madre

I don't like the things she chooses for me ....Non mi piacciono le cose che lei sceglie per me

I prefer buying clothes on my own ....Preferisco essere sola quando compro un vestito

Do you like buying presents? ....Le/Ti piace comprare regali?

I like buying presents for people my own age .....Mi piace comprare regali per persone della mia stessa età

I never know what to give my grandparents ....Non so mai che cosa regalare ai miei nonni

Shopping – longer answers

1.   Che cosa ha/hai fatto sabato scorso?
What did you do last Saturday?

Sabato scorso sono andato/a in centro città con i miei amici/le mie amiche. Abbiamo deciso di andare a comprare dei vestiti. Io ho scelto un paio di sandali e un costume da bagno. Il mio amico/la mia amica Chris voleva comprare un paio di jeans. Abbiamo avuto un sacco di problemi! Il colore non andava bene. Non c'era la taglia giusta. Lui/Lei voleva questa marca e non quella. Alla fine ha trovato quello che voleva e siamo andati(e) a mangiare. *(Insert what you ate and drank and where you went for the meal)* Siamo ritornati(e) a casa alle quindici e trenta.

2.   Che tipo di vestiti comprerebbe/compreresti se potesse/potessi scegliere liberamente?
What clothes would you buy if you had the choice?

Comprerei dei vestiti per tutte le occasioni - dei vestiti, delle gonne, delle camicette, delle maglie e molte paia di scarpe. In casa mi piace mettere una maglia e un paio di jeans ma la sera quando esco con gli amici mi piace mettere una gonna carina o un vestito un po' speciale. D'abitudine non mi piace indossare gonne o vestiti: preferisco i jeans. Il mio colore preferito è il nero.

3.   What would you do if you won the lottery?
Che cosa farebbe se vincesse al Lotto?
Che cosa faresti se vincessi al Lotto?

Se vincessi al Lotto, comprerei molti vestiti/molti capi di abbigliamento *(Give details)*, fare un viaggio in Australia per visitare i miei cugini *(Say where they live etc)*, andrei a visitare Disneyland a Parigi *(Say which characters you like and what else you would do in Paris)*.

Holidays – short answers

Where are you going on holiday? ....Dove va/vai in vacanza?

I'm going to the seaside/to visit my grandparents .....Vado al mare/dai miei nonni

Do you spend your holidays in England? ....Passa le Sue/Passi le tue vacanze in Inghilterra?

Yes, I spend a fortnight in Devon ....Sì, sono stato/a una settimana in Devon

No, I go to France/Italy ....No, vado in Francia/in Italia

Do you go with your family or with friends? ....Vai con la tua famiglia o con amici?

I usually go with my family ....Normalmente vado con la famiglia

This year I am going with my friends ....Quest'anno andrò con i miei amici

Do you go camping? ....Fa/Fai campeggio?

Sometimes we go camping in France ....Qualche volta facciamo campeggio in Francia

What do you like doing on holiday? ....Cosa Le/ti piace fare in vacanza?

I like walking and swimming...............................Mi piace camminare e nuotare

What sort of souvenirs do you buy?....................Che tipo di souvenir compra/compri?

I buy postcards, pottery, a T-shirt ....Compro cartoline, ceramiche e una maglietta

Holidays – past tense:

Where did you go on holiday last summer?.........Dove è/sei stato/a in vacanza l'anno scorso?

Last year we went to Greece ....L'anno scorso siamo andati in Grecia

How did you get there?.......................................Come ci è/ci sei andato/a?

We flew...Siamo andati(e) in aereo

How long did you stay? ....Quanto tempo è/sei rimasto/a?

We stayed a fortnight/three weeks ....Siamo rimasti(e) due settimane/tre settimane

What was the weather like? ....Com'era il tempo?

It was hot and sunny...C'era il sole e faceva caldo

Did you go swimming/spend time ....Nuotava/Nuotavi/passava/passavi la giornata
   on the beach?   in spiaggia?

Yes, we went to the beach every day ....Sì, andavamo alla spiaggia tutti i giorni

Did you visit any interesting places? ....Avete visitato dei posti interessanti?

Yes, we went to Athens. ....Sì, siamo stati(e) ad Atene

It was very interesting ....Era molto interessante

What did you do in the evening? ....Che cosa facevate la sera?

In the evening we went to a restaurant................La sera andavamo al ristorante

We walked around the town ....Passeggiavamo in città

We went to a café/night club ....Andavamo al caffè/al night club

Would you like to go there again? ....Le/Ti piacerebbe ritornarci?

Yes, I would very much like to go there again.....Sì, mi piacerebbe molto ritornarci

Holidays – future tense:

Are you going away at Easter?............................Andrà/Vai via a Pasqua?

No, I shall spend the Easter holidays at home .....No, passerò le vacanze di Pasqua a casa

Where do you plan to go this summer? ....Dove pensa/pensi di andare questa estate?

I don't know...Non lo so

We have not yet decided ....Non abbiamo ancora deciso

We are going to the USA....................................Andremo negli Stati Uniti

Will you be going with your family/friends?.......Andrà/Andrai con la famiglia/con gli amici?

I shall go there with my parents ....Ci andrò con i miei genitori

Will you go camping?..Farà/Farai campeggio?

Will you be staying in a hotel?...........................Starà/Starai in un albergo?

Will you rent a flat? ....Affitterà/Affitterai un appartamento?

We shall stay with my uncle and aunt................Staremo da mio zio e mia zia

How will you get there?......................................Come ci andrà/andrai?

We shall fly to New York ....Andremo in aereo a Nuova York

How long will you be staying? ....Quanto tempo si fermerà/ti fermerai?

We are planning to stay a month ....Abbiamo l'intenzione di rimanere un mese

What are you going to do there? ....Che cosa farà/farai là?

We hope to visit Washington..............................Vorremmo visitare Washington

Holidays – longer answers

1   Mi racconti che cosa ha fatto/Raccontami che cosa hai fatto l'anno scorso durante le vacanze

Tell me what you did during last summer holidays

L'anno scorso ho lavorato per un mese nell'ufficio di mio padre. Volevo guadagnare dei soldi per passare un mese di vacanza in Scozia. Ho lavorato dal diciotto luglio al sedici agosto. Cominciavo a lavorare alle nove del mattino e finivo alle diciassette e trenta. Rispondevo al telefono e mi occupavo della posta e dell'archivio.

Il diciassette agosto sono partito/a per la Scozia con i miei amici. Abbiamo fatto campeggio. Abbiamo passato una quindicina di giorni nei dintorni di Callander. Il tempo era bello quindi abbiamo potuto visitare la città e fare lunghe camminate in montagna. Mi piace molto camminare in montagna quando fa bello. Eravamo in sei, tre ragazze e tre ragazzi. Ci siamo divertiti moltissimo. Vorrei ritornarci un giorno.

L'anno scorso ho passato tre settimane di vacanza in Italia con la mia famiglia. Siamo andati a Roma in aereo e là abbiamo noleggiato un'auto per fare delle gite. Abbiamo passato qualche giorno a Roma poi siamo andati a Firenze e a Venezia. Abbiamo visitato alcuni musei e gallerie d'arte e abbiamo ammirato l'architettura di molti edifici famosi, come chiese, castelli e palazzi. Poi abbiamo passato dieci giorni al mare. Il tempo era bellissimo. Mi piace molto la cucina italiana, soprattutto le varietà di pesci. Ho conosciuto molti italiani simpatici.

2   Come passerà/passerai le vacanze di Pasqua?

How will you be spending the Easter holidays?

Avremo due settimane di vacanza a Pasqua. Resterò a casa, credo. Il mio amico/la mia amica di penna italiano/a verrà da noi per una settimana. Se fa bello faremo escursioni in automobile e in bicicletta per visitare la regione. È sportivo/a. Quindi andremo in piscina e a pattinare. Nella seconda settimana andremo a visitare mio cugino che abita in Galles. Abita a Cardiff e mi piace andare a Cardiff. È una grande città che offre molte cose interessanti.

Special occasions – short answers

When is your birthday?......................................Quando è il Suo/tuo compleanno?

My birthday is 4th December ....Il mio compleanno è il quattro dicembre

What do you do on your birthday? ....Che cosa fa/fai il giorno del Suo/tuo compleanno?

My family give me presents and cards.................La mia famiglia mi dà dei regali e un cartoncino di auguri

What do you do at Christmas?............................Che cosa fa/fai a Natale?

We give each other presents ....Ci scambiamo altri regali

We go to church..Andiamo in chiesa

What other festivals do you celebrate? ....Quali altre feste celebrate?

We celebrate Passover/Eid/Divali.......................Celebriamo la Pasqua ebraica/Eid/Divali

When is Passover/Eid/Divali? ....Quando è la Pasqua ebraica/Eid/Divali?

Do you give presents?..Scambiate regali?

Do you spend the day with your family? ....Passa/Passi la giornata con la famiglia?

Yes, family life is very important ....Sì, la vita familiare è molto importante

Special occasions – past tense

What did you get for Christmas? ....Che regali ha/hai ricevuto a Natale?

My grandparents gave me some clothes ....I miei nonni mi hanno regalato dei vestiti

My parents gave me a mountain bike/ ....I miei genitori mi hanno dato una mountain bike/
  a computer   un ordinatore

What did you give your parents for Christmas? .....Che cosa hai regalato ai tuoi genitori per Natale?

I gave my father a bottle of wine ....A mio padre ho regalato una bottiglia di vino

I gave my mother a book....................................A mia madre ho dato un libro

What did you give your brother/sister?...............Che cosa hai regalato a tuo fratello/a tua sorella?

I gave my brother a CD......................................Ho dato un CD a mio fratello

I gave my sister a scarf......................................A mia sorella ho regalato una sciarpa

What did you do on your birthday?......................Che cosa hai fatto il giorno del tuo compleanno?

I went out for a meal with my family..................Sono andato/a al ristorante con la famiglia

What presents did you get?................................Che regali hai ricevuto?

My parents gave me … ....I miei genitori mi hanno dato …

Weather – short answers

Present tense

What is the weather like?...................................Com'è il tempo?

It is fine ....È bello

It is hot ....Fa caldo

It is cold...Fa freddo

The weather is bad ....Il tempo è brutto

It is 30 degrees ....Ci sono trenta gradi

It is foggy ....C'è nebbia

It is sunny..C'è il sole

It is windy..C'è il vento

It is cloudy...È nuvoloso

It is stormy ....C'è il temporale

It is freezing ....C'è il gelo

It is snowing...Nevica

It is raining ....Piove

Past tense

What was the weather like?	Com'era il tempo?
It was fine	Era bello
It was hot	Faceva caldo
It was cold	Faceva freddo
The weather was bad	Il tempo era brutto
It was 30 degrees	C'erano trenta gradi
It was foggy	C'era nebbia
It was sunny	C'era il sole
It was windy	C'era il vento
It was cloudy	C'era nuvoloso
It was stormy	C'era il temporale
It was freezing	C'era il gelo
It was snowing/It snowed	Nevicava
It was raining/It rained	Pioveva

Future tense

What will the weather be like?	Come sarà il tempo?
It will be fine	Sarà bello
It will be hot	Farà caldo
It will be cold	Farà freddo
The weather will be bad	Il tempo sarà brutto
It will be 30 degrees	Ci saranno trenta gradi
It will be foggy	Ci sarà nebbia
It will be sunny	Ci sarà il sole
It will be windy	Ci sarà il vento
It will be cloudy	Ci sarà nuvoloso
It will be stormy	Ci sarà il temporale
It will be freezing	Ci sarà il gelo
It will be snowing	Nevicherà
It will be raining	Pioverà

Weather – longer answers

Quale stagione preferisce/preferisci? Perché?
What season do you like best? Why?

Preferisco l'estate perché amo il sole. Mi piace camminare. Mi piace andare al mare. Non sopporto il freddo in inverno! Detesto la pioggia e la nebbia.

Preferisco l'inverno perché mi piace sciare. Adoro la neve e la montagna. Non mi piace il caldo eccessivo in estate.

Making comparisons between Italy and England

You may be asked to compare and contrast aspects of life in Italy and England. Here are some points you may find useful.

School life

School starts earlier in the morning in Italy ....La scuola in Italia inizia più presto la mattina

In Britain school finishes generally at 3.30..........In Gran Bretagna le lezioni finiscono generalmente alle quindici e trenta

The school day is very long in Italy ....La giornata a scuola è molto lunga in Italia

In Italy pupils go to school on Saturday morning .....In Italia gli allievi vanno a scuola il sabato mattina

We have to wear school uniform ....Noi dobbiamo indossare un' uniforme

Italian pupils get a lot of homework ....Gli allievi in Italia hanno moltissimi compiti

Italian pupils sometimes repeat a year ....Qualche volta gli allievi italiani devono ripetere un anno

The summer holidays are longer in Italy..............Le vacanze estive sono più lunghe in Italia

In the summer holidays many Italian children .....Nei mesi estivi molti bambini italiani
  take part in organised holidays   frequentano le colonie

Daily life

People eat later in the evening in Italy ....In Italia la gente mangia più tardi la sera

I prefer to eat earlier in the evening ....Io preferisco mangiare più presto la sera

I don't like sitting for a long time at table...........Non mi piace passare molto tempo a tavola

The weather is warmer in Italy............................Il tempo è più caldo in Italia

More people smoke in Italy ....Ci sono più fumatori in Italia

I like Italian TV programmes..............................Mi piacciono i programmi televisivi in Italia

Films start later in the evening in Italian cinemas .....Nei cinema italiani i film cominciano più tardi

Travel

Public transport is better in Italy ....I trasporti pubblici sono migliori in Italia

You have to pay to go on the motorways in Italy Si deve pagare per usare le autostrade in Italia

The service stations on the motorways ....Le stazioni di servizio nelle autostrade
  in the UK are bigger   in Gran Bretagna sono più grandi

SECTION 3: PRESENTATIONS

Suitable presentation-style answers could be prepared by using some of the themes in the conversation section, but you could also choose other topics if you have to do a presentation for your GCSE board's examination.
Here are a few possibilities:

Il fine settimana

Mi piace molto il fine settimana perché ho tempo di fare quello che voglio. Durante la settimana devo fare molti compiti, quindi non ho mai tempo di uscire. Quando sono libero mi piace andare a passeggio con i miei amici/le mie amiche. Andiamo in centro, ma passeggiamo anche in collina quando fa bello. Se rimango a casa, mi piace ascoltare la musica. *(Here you can talk about your favourite type of music)*, o leggere dei romanzi. *(Here you must be prepared to talk briefly about a book or type of novel you like)*
Il sabato mattina lavoro in una scuola di danza. Molte persone vengono a lezione di danza classica, di swing o di balli latino-americani. *(You could describe one or two of them)*
Il sabato sera vado a ballare con gli amici a Worcester. A volte metto una minigonna rossa e una camicetta nera, altre volte metto un paio di pantaloni marrone e una maglietta arancione. Sabato scorso siamo andati a *(town name)*. Ho indossato *(say what you wore)*. Abbiamo mangiato patatine fritte e bevuto della limonata, poi siamo andati in una discoteca e abbiamo ballato fino a mezzanotte.
La settimana prossima andrò a vedere il film *(Put in the title)* con gli amici/le amiche. È un film *(put in what type and say what it is about)*. Andremo nel pomeriggio e arriveremo in città alle diciotto. Lo spettacolo comincia alle diciannove e trenta e il film dura due ore. Alla fine dello spettacolo prenderemo l'autobus per ritornare a casa.

Il tempo libero

Quando ho del tempo libero mi piace molto fare dei lavoretti manuali. Mi piacevano molto le lezioni di arti manuali quando si lavorava su legno o su metallo. Imparavamo come usare gli attrezzi per costruire modellini o degli oggetti da regalare. Io ho costruito un piccolo battello che ho regalato a mio fratello. Era felice del regalo. Al momento sto facendo una collezione di soldati in metallo.
Li compro, li monto e li incollo e poi li dipingo. È un lavoro lungo. Ci vuole molta pazienza. Mia sorella non ama fare lavoretti manuali. Dice che è una perdita di tempo.
Mi piace praticare lo sport. Il sabato mattina faccio allenamento con la squadra di *(Insert sport)*. Normalmente c'è una partita la domenica pomeriggio. Preferisco vincere, ma purtroppo non succede spesso!
Prendo lezioni di trombone da tre anni. Suono nella banda della scuola. Suoniamo molta musica moderna. È molto simpatico.

L'equitazione

Mi piace molto fare equitazione. Ho un'amica che abita in una casa colonica vicino a me e ha due cavalli. In estate andiamo a cavallo tutti i giorni alle quattro, quando finiamo le lezioni.
I cavalli si chiamano Benji e Fleur. Benji ha dieci anni, salta bene e ha vinto parecchi premi. Fleur ha vent'anni ed è abbastanza grassa perché mangia troppa erba in primavera, ma è molto paziente.

Quando si lavora con i cavalli bisogna lavorare sodo. Dobbiamo dare loro da mangiare, avere cura di loro e pulire la stalla. Trasportare la paglia, il mangime e la sella non è un lavoro leggero, quindi bisogna essere abbastanza forte per farlo. In primavera Fleur non stava bene. Tossiva e ho dovuto darle dello sciroppo. Non voleva inghiottirlo. Mi faceva molta pena. L'anno prossimo vorrei comprarmi un cavallo. Non sarà certo un cavallo di razza. Sarà piuttosto un cavallo affidabile, non molto giovane. L'importante è che sia in buona salute e che abbia dei bei zoccoli neri. È importante che sia robusto, perché il veterinario costa molto caro!

Il calcio

Mi piace moltissimo giocare a calcio. Da quattro anni gioco per la squadra del collegio. Mi alleno ogni sabato. Il nostro allenatore era giocatore professionista e abbiamo imparato molto da lui. Io sono ala destra. La squadra del collegio ha giocato nella finale del torneo dei collegi ma purtroppo abbiamo perso.

Siamo andati a giocare a Wembley. È stata una giornata indimenticabile.

Io faccio il tifo per *(Here you can put in the team of your choice)*. È una squadra in prima divisione. I giocatori indossano una maglia *(Here you can put in the colours of your team's strip)*. Abbiamo un'antenna parabolica quindi posso guardare molte partite alla televisione.

In futuro vorrei diventare giocatore professionista. Un giocatore professionista famoso guadagna moltissimo e può giocare anche in altri paesi.

Il mio compleanno

Il mio compleanno è il ventiquattro luglio. È l'inizio delle vacanze estive. Se fa bello mi piacerebbe fare una gita. L'anno scorso era di sabato, quindi ho deciso di passare una giornata in campagna con la mia famiglia e alcuni amici. Eravamo in dieci. Siamo partiti alle nove.

Mio padre e mio fratello guidavano le due automobili. Mia madre ed io avevamo preparato il pic-nic: pollo arrosto, insalata di mozzarella e pomodoro, uova sode e poi dei frutti di bosco e del succo di frutta da bere. Il sole era caldo e non c'era una nuvola. Dopo un'ora siamo arrivati al mare. Siamo andati sulla spiaggia. Abbiamo nuotato e abbiamo giocato a pallavolo. A mezzogiorno abbiamo mangiato. Verso le due abbiamo fatto una passeggiata lungo la scogliera. Ci siamo fermati in un bar dove abbiamo mangiato un buon gelato. Siamo rincasati la sera tardi. È stata una giornata molto piacevole.

Il mio scambio scolastico

Due anni fa ho partecipato a uno scambio scolastico. Ho passato due settimane a casa del mio amico/della mia amica di penna che abita a Chiavari, una città sul mare in provincia di Genova.

Chiavari è una cittadina molto vivace. Attira molti turisti durante l'estate, però non vive solo di turismo. Molte famiglie di Milano e di Torino hanno una seconda casa per le vacanze a Chiavari. C'è una lunga spiaggia e un porto turistico.

Il mio amico/la mia amica di penna si chiama … *(Here you can give the name and age of your penfriend)* È … *(Give a description of him/her)* Ha … *(Here you can give details of brothers and sisters)*

La loro casa è piuttosto grande. Ci sono quattro camere da letto, un soggiorno, una sala da bagno e la cucina. Il giardino è molto grande e ha molti fiori e piante tipicamente mediterranei. La casa si trova sulla strada Aurelia, una famosa strada costruita dai Romani. Chiavari è famosa per i suoi portici del Quattrocento, dove ci sono moltissimi negozi di abbigliamento, di antichità e di gastronomia. Ho assaggiato i famosi Baci di Chiavari, buonissimi biscotti al cioccolato e alle mandorle. Ho fatto molte passeggiate nelle colline dietro Chiavari. Ho visitato il famosissimo porto di Portofino che abbiamo raggiunto in battello da Chiavari in circa mezz'ora. *(Add a few sentences here about a day at the seaside. Say what you ate and drank; say what the weather was like.)*

Il giorno del matrimonio di mia sorella

L'anno scorso il mese di agosto è stato molto interessante per la mia famiglia. Mia sorella si è sposata il dodici agosto. Aveva deciso di sposarsi in agosto perché fa l'insegnante. Il suo fidanzato, Robert, è poliziotto. Da mesi parlava con mia madre di abiti, di regali, di fiori e di fotografie. Il giorno delle nozze ha fatto bello. C'era un bel sole e faceva caldo.

Il matrimonio civile ha avuto luogo alle tredici e trenta al Municipio. Dopo la cerimonia hanno fatto un sacco di fotografie. Quanto tempo ci vuole per le foto di nozze!

L'abito da sposa di mia sorella era bellissimo e aveva anche dei bei fiori. Le damigelle d'onore indossavano abiti azzurri. Mi piaceva il mio abito. Il blu è il mio colore preferito.

Dopo le fotografie siamo andati al ricevimento di nozze. Ho mangiato molto - c'era del salmone, del tacchino e una grande varietà di insalate. La sera abbiamo ballato fino alle ventidue e trenta.

Proteggere l'ambiente

C'è troppo inquinamento nel mondo. Dobbiamo tutti fare attenzione a non sprecare le risorse naturali.

Lo stile di vita in Europa e negli Stati Uniti richiede un alto consumo di energie. Le nostre industrie, le nostre raffinerie, le nostre stazioni nucleari avvelenano l'ambiente. Tutti devono cercare di fare del loro meglio per cambiare la situazione, per esempio: mio padre dice che quando andiamo in città dobbiamo andare a piedi o in bicicletta invece di usare l'automobile e che se andiamo a Worcester dovremmo utilizzare trasporti pubblici. Mia madre dice di mettere una maglia invece di accendere il riscaldamento quando fa un pò freddo. Noi ricicliamo le lattine, le bottiglie e i giornali.

Si possono anche scegliere dei prodotti ecologici per lavare i piatti e fare il bucato.

Un incidente

Durante le vacanze in Italia ho assistito a un incidente. Ero all'isola d'Elba (in Toscana) con la famiglia di un mio amico. Era una bella giornata di luglio e avevamo deciso di fare un giro della strada costiera in bicicletta. Siamo partiti molto presto la mattina con l'intenzione di arrivare a Marciana Marina e fare una nuotata nel mare azzurro dell'isola. Quando siamo arrivati alla spiaggia abbiamo notato che molte persone facevano windsurf. Ad un tratto, da dietro il promontorio, è arrivata una barca a motore e la barca ha investito un surfista. Immediatamente molti si sono buttati in acqua per salvare la vittima. Il surfista è stato portato in ospedale. La colpa è della persona che guidava la barca a motore: non rispettava il limite di sicurezza dalla spiaggia e andava troppo velocemente.

Gli amici italiani

Oggi arrivano Alessandra e Marcello, i nostri amici romani. Li conosciamo da quattro anni. I loro figli sono amici di penna dei nostri e hanno partecipato a uno scambio scolastico reciproco. Noi genitori abbiamo pensato: " Perché non fare uno scambio fra adulti?". L'anno scorso siamo andati noi a Roma e abbiamo avuto un'accoglienza veramente simpatica. Ora abbiamo molti progetti per la loro visita qui a York: visite culturali, artistiche, escursioni nelle nostre montagne e nella Regione dei Laghi. Alessandra è insegnante di latino quindi andremo senz'altro a visitare il muro di Adriano. Spero che apprezzeranno la cucina inglese! Ho deciso di cucinare tutti piatti regionali tradizionali, incluso lo Yorkshire pudding. L'unico problema è che ho scoperto solo oggi che Marcello è un gran fumatore e noi detestiamo la puzza delle sigarette: come faremo?

Il mio tirocinio/Il mio stage

Un mese fa ho fatto una settimana di tirocinio/di stage in un ufficio in centro.

Il primo giorno mi sono alzato/a alle sette, ho fatto una doccia e mi sono vestito/a.

Ho indossato *(Here you can describe what you wore)*. A colazione ho mangiato *(Say what you ate and drank)*.

Sono partito/a di casa alle otto e un quarto. Sono andato/a all'ufficio *(Give form of transport)* e sono arrivato/a alle nove meno dieci.

In ufficio ho fatto il caffé per gli altri impiegati. Poi mi sono occupato/a della posta con la segretaria del capufficio/del direttore. Dopo ho dovuto archiviare dei documenti.

Alla mezza/A mezzogiorno e trenta sono andato/a a mangiare a una tavola calda/in piazza Roma/in un bar con un mio amico/una mia amica che faceva uno stage in una banca. *(Say what you ate and drank)*.

Nel pomeriggio sono andato/a all'ufficio postale per comprare francobolli per la segretaria.

Come prima giornata di lavoro non è stata molto interessante, ma tutti gli impiegati erano simpatici.

Sono ritornato/a a casa alle *(State time)*.

Lo scorso trimestre ho fatto una settimana di tirocinio/di stage presso l'autorimessa in paese che appartiene a un amico di mio padre. Ero molto contento/a di passare una settimana in una autorimessa perché adoro le automobili e le motociclette.

Generalmente la mattina mi alzavo alle *(State time)*, facevo colazione *(Say what you ate and drank)* e indossavo *(State what you wore)*. Uscivo di casa alle *(State time)* per andare all'autorimessa e arrivavo alle otto meno cinque. Andavo in/a *(State form of transport)*.

Appena arrivato/a facevo il té per i meccanici. Poi osservavo uno dei meccanici mentre riparava un'auto. Era interessante.

Verso la fine della settimana ho pulito la moto del padrone. Era una moto fantastica – vorrei averne una come quella un giorno!

La sera finivo il lavoro alle sei. Una giornata all'autorimessa è più lunga di una giornata a scuola/all'istituto, ma molto più interessante!

51

For general reference for all topics:

If you wish to choose other subjects for your presentation, help with these topics can be found:

SECTION 4: IMPROVING YOUR LANGUAGE

When?

after	dopo
afterwards, then	poi
all day long	tutto il giorno
all morning	tutta la mattina
always	sempre
at the end of	alla fine di
at the weekend	al fine settimana
during the weekend	durante il fine settimana
at last	finalmente
before	prima (di)
during the morning/weekend	durante la mattina/il fine settimana
early	di buon'ora
late (for an appointment)	in ritardo
late (not early)	tardi
every day	ogni giorno
every Monday morning	ogni lunedì mattina
every two days	ogni due giorni
every week	ogni settimana
every three weeks	ogni tre settimane
occasionally	occasionalmente
in the morning/afternoon/evening	la mattina/nel pomeriggio/la sera
never	mai
now	ora/adesso
often	spesso/sovente
on Saturday morning	(il) sabato mattina
rarely, seldom	raramente
sometimes	qualche volta
soon	presto
then	poi
this morning	questa mattina
this summer/winter	quest'estate/quest'inverno
today	oggi
usually	di solito

Phrases for telling stories in the past

a few weeks ago	qualche settimana fa
After finishing his/her homework …	Dopo aver finito il suo compito …
an hour ago	un'ora fa
a quarter of an hour ago	un quarto d'ora fa
a short time later	un pò più tardi

As he/she was leaving the house …	Mentre stava uscendo di casa …
as soon as possible	appena possibile
at five o'clock	alle cinque
at that moment	in quel momento
at the beginning of the holidays	all'inizio delle vacanze
at the end of the day	alla fine della giornata
a week/month/two years ago	una settimana/un mese/due anni fa
during his stay in hospital	durante la sua degenza in ospedale
during the summer holidays	durante le vacanze estive
for a long time	per molto tempo
for three hours	per tre ore
from time to time	di quando in quando
half an hour later	mezz'ora più tardi
He had got up early because …	Si era alzato presto perché …
He appeared suddenly	È apparso improvvisamente
I saw him just now	L'ho visto proprio adesso
immediately after the picnic	immediatamente dopo il pic-nic
in spring/summer/autumn/winter	in primavera/estate/autunno/inverno
It was 1st December	Era il primo dicembre
It was Christmas Eve	Era la vigilia di Natale
It was during the Easter holidays	È stato durante le vacanze di Pasqua
last night	la notte scorsa
last Saturday	sabato scorso
last week/last year	la settimana scorsa/l'anno scorso
last winter	l'inverno scorso
later than usual	più tardi del solito
On leaving the shop …	Nell'uscire dal negozio …
She left at once	È partita immediatamente
some time later/after some time	un po' di tempo dopo
that morning/that afternoon/that evening	quel mattino/quel pomeriggio/quella sera
the day before yesterday	l'altro ieri
the next day	il giorno seguente
two days later	due giorni dopo
towards the end of the week	verso la fine della settimana
towards the end of August	verso la fine di agosto
yesterday/the day before yesterday	ieri/l'altro ieri
yesterday morning/afternoon/evening	ieri mattina/pomeriggio/sera

Phrases for telling stories in the future

earlier/later than usual	più presto/più tardi del solito
from time to time	di quando in quando
from this time on	d'ora in poi
immediately/at once	immediatamente/subito

in half an hour's time ....fra mezz'ora
in an hour and a half.................................fra un'ora e mezza
in three days' time...................................fra tre giorni
in a week's time ....fra una settimana
later on today...più tardi oggi
next week/next year ....la settimana prossima/l'anno prossimo
next winter ....il prossimo inverno
next Sunday......................................domenica prossima
She will be arriving about midday ....Arriverà a mezzogiorno circa
The train will be arriving on time ....Il treno arriverà in orario
this time next week ....la prossima settimana a quest'ora
tomorrow/the day after tomorrow ....domani/dopodomani
tomorrow morning/afternoon/evening ....domani mattina/pomeriggio/sera
two hours from now ....fra due ore
towards seven o'clock this evening ....verso le sette questa sera

How did you do that?

also..anche
at top speed ....a tutta velocità
as quickly as possible............................al più presto possibile
by chance...per caso
carefully ....attentamente
for the first/last time.............................per la prima/l'ultima volta
for the second time...............................per la seconda volta
gladly..volentieri
gradually..gradualmente
happily/fortunately..............................fortunatamente
in a good/bad temper..........................di buon/cattivo umore
in vain ....invano
instead of going to school ... .invece di andare a scuola ...
I pretended to read my book...............................ho fatto finta di leggere il mio libro
I went in on tip-toe..............................sono entrato/a in punta dei piedi
quickly...rapidamente
politely ....cortesemente
slowly..lentamente
suddenly ....improvvisamente
thus...così
to my great surprise...........................con mia grande sorpresa
unfortunately.....................................sfortunatamente
when everything was ready ... .quando tutto fu/era pronto ...
without hesitation..............................senza esitare
without speaking..............................senza parlare
without saying a word.......................senza dire una parola

With astonishment, I … ....Con sorpresa, io …
without wasting any time.................................senza perdere tempo

Where?

above...sopra
against/on the wall ....contro il/sul muro
at the seaside..al mare
behind the house ....dietro la casa
beneath the bridge..sotto il ponte
between the trees...tra gli alberi
here ....qui
in front of the cinema.......................................di fronte al cinema
in the country...in campagna
in the distance ....in distanza
in the field...nel campo
in the middle of the town ....in mezzo/centro alla città
in the mountains...in montagna
in the meadow..nel prato
in the woods...nei boschi
nearby..vicino
near my home...vicino a casa mia
near the lift..vicino all'ascensore
next to the bank..accanto alla banca
on the balcony..sul balcone
on the ground floor ....al pianterreno
on the first floor ....al primo piano
on the top floor ....all'ultimo piano
on the horizon ....all'orizzonte
on the left/on the right.......................................a sinistra/a destra
on the river bank ....sulla sponda del fiume
opposite the station ....di fronte alla stazione
over there ....laggiù
100 metres away ....a cento metri
ten minutes away ....a dieci minuti
there ....là
this/that way...da questa/quella parte
to the left of the house.. ....a sinistra della casa
to the right of the window..................................a destra della finestra
to/in the north...a nord/al nord
to/in the south ....a sud/al sud
to/in the east...a est/all'est
to/in the west..a ovest/all'ovest
under the bridge ....sotto il ponte

Who was there?

an old man.. un uomo anziano

a young woman ....una giovane donna

a little boy who was about seven ....un bambino di circa sette anni

an elderly woman with grey hair...........................una donna anziana con i capelli grigi

a tall girl who was wearing a red coat..................una ragazza alta che indossava un cappotto rosso

a short fat man with a black beard ....un uomo basso e tarchiato con una barba nera

a girl of about sixteen who was carrying a bag....una ragazza di circa sedici anni che aveva una borsa

a middle-aged woman walking her dog ....una donna di mezza età che portava a spasso il cane

a man wearing sunglasses driving........................un uomo con occhiali da sole che guidava
    a blue Alfa Romeo   una Alfa Romeo blu

two teenage girls talking to someone..................due ragazze adolescenti parlavano con una persona
    who seemed worried   dall'aspetto preoccupato

What did he/she look like?

He had a moustache ....Aveva i baffi

He had a long black beard....................................Aveva una lunga barba nera

He had black/fair/brown/grey/ginger hair.............Aveva capelli bruni/chiari/castani/grigi/rossi

He was big/small/thin/fat ....Era alto/piccolo/magro/grasso

He was wearing a blue suit ....Indossava un abito blu

He was carrying a black umbrella.......................Aveva un ombrello nero

He was frowning ....Era corrucciato

She was big/small/thin/fat/slim...........................Era alta/piccola/magra/grassa/snella

She looked happy/stressed/frightened.................Aveva l'aria felice/tesa/spaventata

She had blue/green/grey/brown eyes....................Aveva gli occhi blu/verdi/grigi/castani

She was wearing (sun)glasses ....Portava gli occhiali (da sole)

She was wearing jeans and a red T-shirt..............Indossava i jeans e una maglietta rossa

She was smiling. She was crying ....Sorrideva. Piangeva

What did I have to eat and drink?

I drank a cup of coffee ....Ho bevuto un caffè

I had a glass of lemonade....................................Ho preso un bicchiere di limonata

I had a chocolate ice cream ....Ho preso un gelato al cioccolato

I bought a ham sandwich ....Ho comprato un panino al prosciutto

I bought cheese, tomatoes, ...Ho comprato del formaggio, dei pomodori,
    apples and a packet of crisps   delle mele e un pacchetto di chips

I ordered roast chicken.......................................Ho ordinato pollo arrosto

He chose a toasted cheese and ham sandwich .....Lui ha scelto un tost alla valdostana

She always preferred steak and chips..................Lei preferiva sempre bistecca e patatine fritte

We went to a restaurant because ....Siamo andati in un ristorante perché
    it was my birthday   era il mio compleanno

We decided to have a picnic ....Abbiamo deciso di fare un pic-nic

We ordered two Oranginas® ....Abbiamo ordinato due Orangine®

Sequences

at first	inizialmente
secondly	in secondo luogo
thirdly	in terzo luogo
then	poi
after that	dopo quello/dopodichè
after doing that	dopo aver fatto quello
He had just done that when …	Aveva appena fatto quello quando …
a little later	un po' più tardi
after a while	dopo un po'
a few minutes later	pochi minuti più tardi
later that day/evening	più tardi quel giorno/quella sera
two hours later	due ore dopo
After arriving in Dover …	Dopo essere arrivati(e) a Dover …
on the first part of the journey	nella prima parte del viaggio
on the last part of the journey	nell'ultima parte del viaggio
on the first/last day of the holiday	il primo/l'ultimo giorno delle vacanze
at half past one	all'una e mezza
as arranged	come d'accordo
during the morning/afternoon/evening	durante la mattina/il pomeriggio/la sera
during the night	durante la notte
the next day	il giorno dopo
the next morning	la mattina dopo
tomorrow	domani
the day after tomorrow	dopodomani

Conclusions

at the end of the day/outing/show	Alla fine della giornata/della gita/dello spettacolo
at last/finally	Finalmente/alla fine
in spite of everything	Malgrado tutto
We arrived home tired but happy	Siamo arrivati(e) a casa stanchi(e) ma felici
We had had a good time	Ci siamo divertiti(e)

Notes

Notes